JN027301

たった1分見るだけで頭がよくなる
瞬読式勉強法

山中恵美子 Emiko Yamanaka

ダイヤモンド社

瞬読開始3か月後、国語の偏差値が49から64に！

3年連続落ち続けた中小企業診断士試験。
瞬読で勉強したら、一発で合格！

英検1級、2回連続不合格。瞬読を使って約半年で合格！

瞬読を勉強に生かして
成功する人、続出！

「瞬読式勉強法」は、受験勉強、資格試験、TOEIC®・英検、昇進試験など、すべての試験に効果を発揮する勉強法です。

勉強法と銘打ってはいますが、「型」を覚えるものではありません。どんな勉強をするにしても、どんな教材を使うにしても、勉強前の1分、本書で用意した5つの瞬読トレーニングを行うだけで、短期間で目標を達成するものです。

瞬読トレーニングの効果と内容は大きく分けて「5つ」あります。

1 判断力が上がる！

ランダムに並んだ文字を一瞬で見て、自分の知っている単語に変換し、ビジュアルをイメージするトレーニング。

どんなビジュアルでもかまわないのでイメージすることを繰り返していくと、日常でも何かを見たときにイメージする習慣がつき、判断力がどんどん豊かになります。

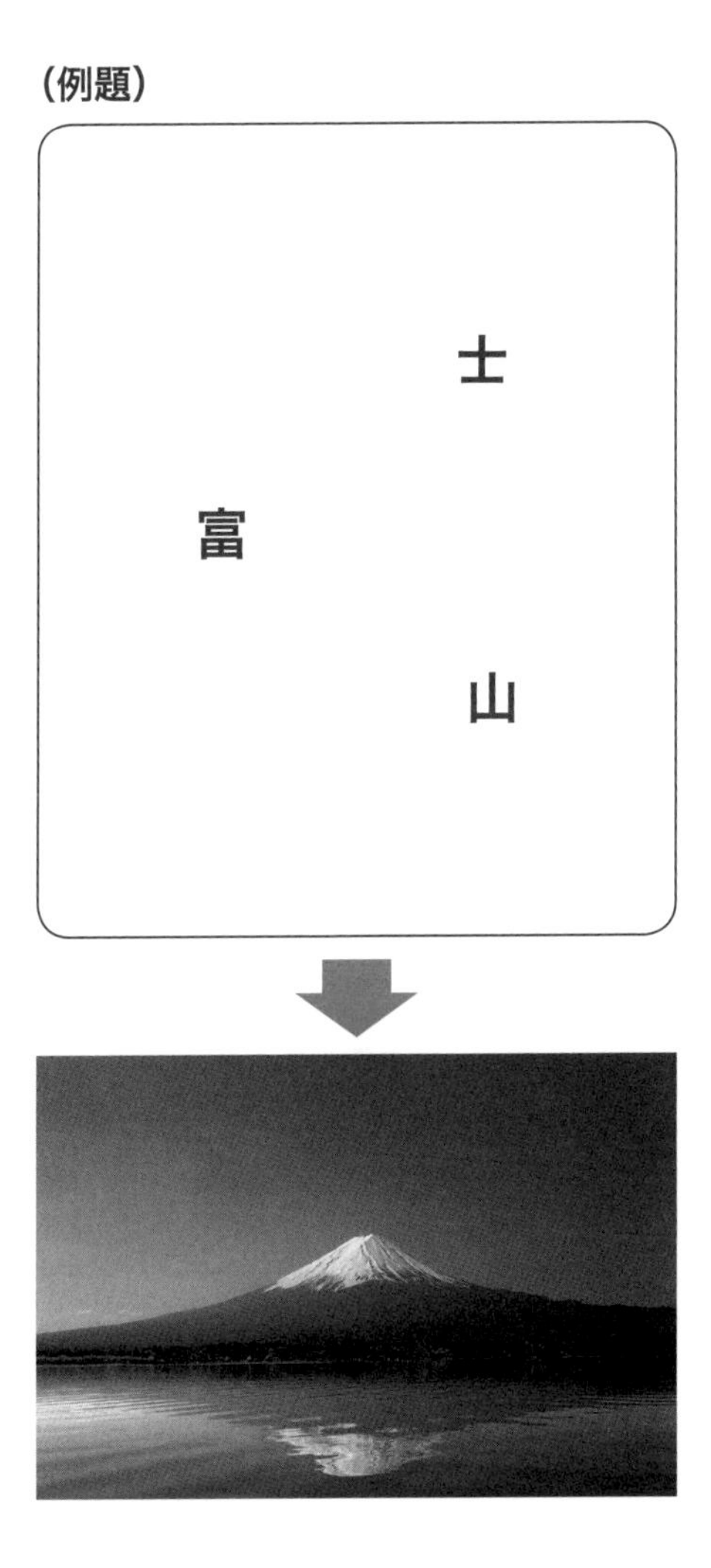

2 記憶力が上がる！

前ページと同じように文字がランダムに並んでいます。変換してイメージしたあとに、一歩進んで、「イメージしたものを自分の言葉に置き換える」トレーニング。右脳でイメージしたものを左脳で言葉にすることは、インプットとアウトプットに相当し、勉強でも同じことができ、記憶力が高まります。

（例題）

	士	
富		山

日本一高い山
標高3776mの山
日本が誇る聖なる山
……

3 想像力が上がる！

文章が4つ並んでいるのを見て、1文を読んだら、その都度情景をイメージするトレーニング。

一瞬でだいたいの意味を把握する訓練をしていくと、本を速く読めます。また、読み切れなかった不足感が「もっと知りたい」と右脳に要求するため、自然と速いスピードで処理できるようになります。それが想像力をかきたてるのです。

（例題）

家族みんなで食卓を囲む
誕生日プレゼントをあげる
美容院で散髪をしてもらう
ぬいぐるみを抱いて寝る

4 集中力が上がる！

４つの文が出てくるので、文を１つの作業工程に並び替える。並べ替えたら、情景をイメージするトレーニング。

パッと見たときに、情景まで頭の中で描けると、あらゆる記憶は脳に定着しやすくなります。秒単位でやることでかなりの集中力がつき、ストーリーで覚えたものは忘れにくくなるのです。

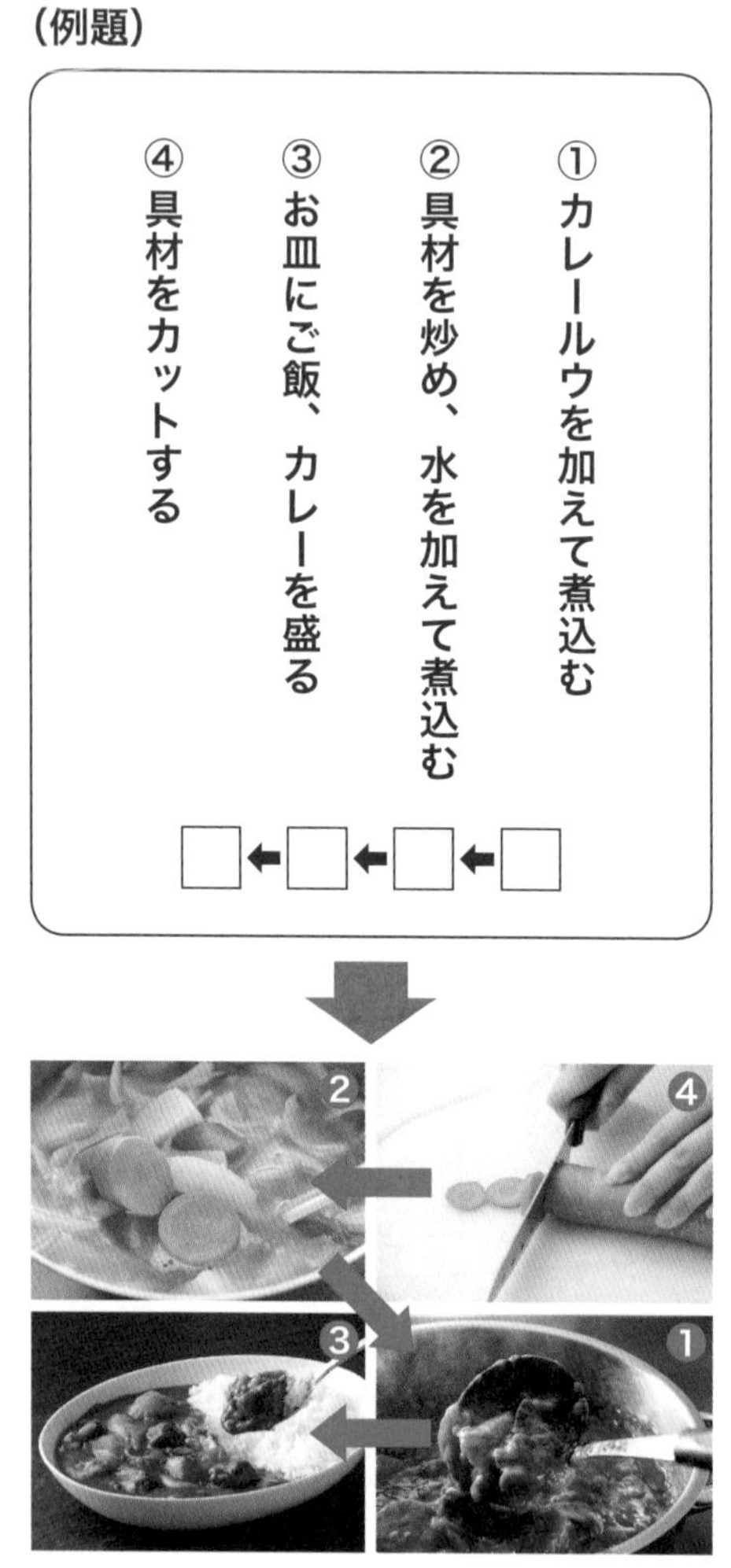

5 瞬発力が上がる！

数式や図形を用いた数学的なトレーニング。

答えは1つとは限りません。ここでは一瞬のひらめき、自由な発想を養うことができます。「複数の答えを出す」「いろいろな考え方ができる」ことは、文章を読んでいろいろな表現をアウトプットすることにつながります。限られた時間の中で解き方のパターンを考えることが、瞬発力や発想力を鍛えてくれるのです。

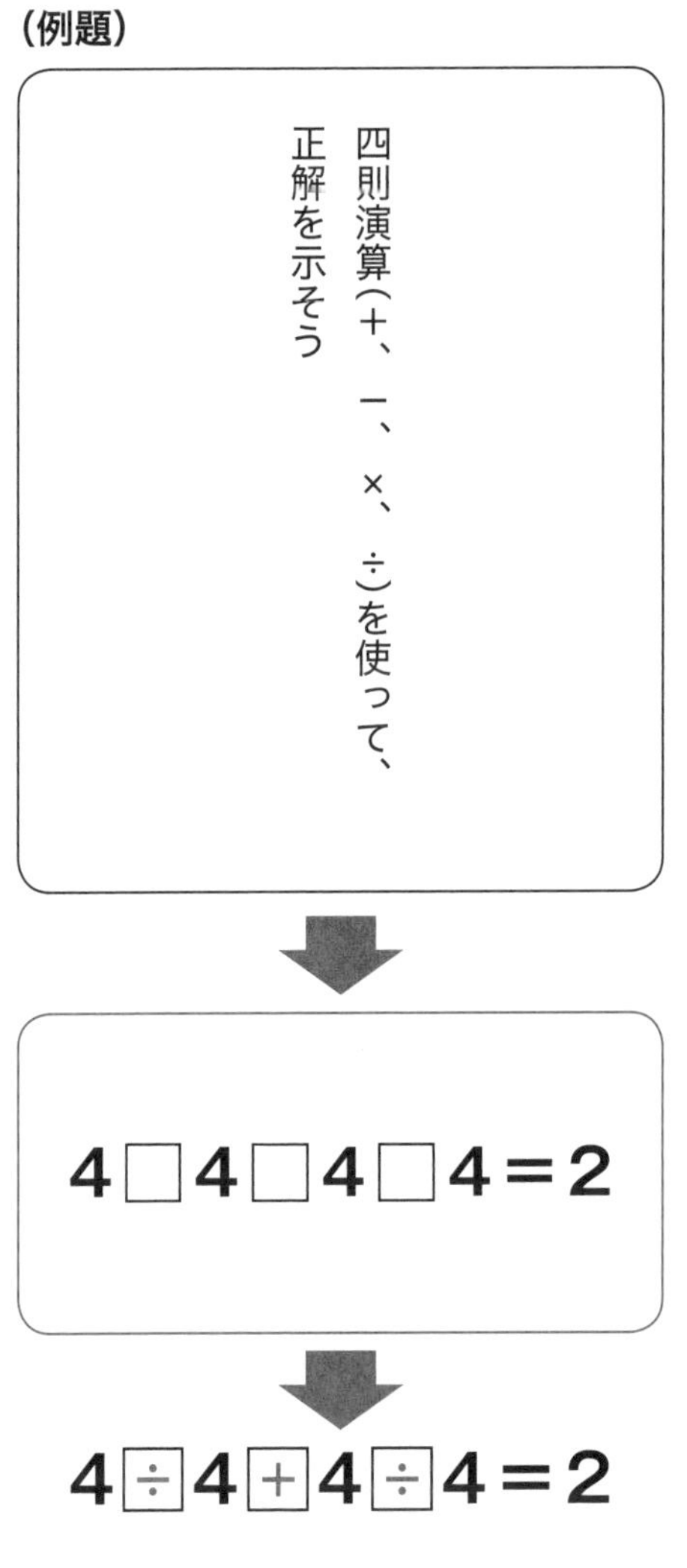

判断力、記憶力、想像力、集中力、瞬発力を同時に上げる5つのトレーニングをこなすことで、右脳の働きを最大化します。また、勉強を阻害するネガティブなイメージを一掃し、勉強が楽しくてたまらなくなるのです。

何より、スピードを手にすることで、これまでの勉強スタイルが一変します。

私がこれまで培ってきた「塾の教育ノウハウ」と「瞬読スキル」のかけ合わせで生まれた「瞬読式勉強法」を、この1冊でどうぞ学んでください。

「えっ！　これだけでいいの？」と驚くかもしれませんが、5つのトレーニングを1分でできるようになる頃には、右脳が活性化され、地頭がよくなっているはずです。

「勉強前に、1分見るだけ！」
それだけで、
あなたの人生は大きく変わるのです！

瞬読を勉強に取り入れたことで成功を収めた人たちの声

実際、私の経営する講座やセミナーでは、瞬読を学んだ方たちが次々と結果を出しています。その成功体験の一部をご紹介しましょう。

当初想定していたところより、1ランク上の高校に合格！

●K・Y／高校3年生・10代

高校受験に向けて成績を上げようと、中学3年生のときに瞬読を始めました。半年で、かなり速く読めるようになりました。問題を速く読めるようになったので解答を考えることに時間をかけられるようになり、英語もすんなりと頭に入ってくるようになるなど、すべての処理能力が上がった感じです。

また、集中力もアップしたので、勉強が苦にならなくなりました。おかげで、1ランク上の高校に合格することができました。200ページくらいの一般書やエッセイなら、2分くらいで読めます。

瞬読を始めて1年足らずで中小企業診断士に合格！

●K・D／保険営業・40代

中小企業向けに保険の営業をしており、経営者の方々とお話しする中で経営の知識を身につけたく、「中小企業診断士」を目指しました。試験は1次から3次まであり、過去3年間は1次試験で敗退していたのですが、瞬読を始めて1年足らずで合格できました。朝と昼のトレーニング、空いている時間で「参考書を瞬読→問題集を解く」というサイクルを1か月繰り返しました。このとき意識したのは、「参考書を1ページ1秒でテンポよく眺める」ということ。

さらに、理解があいまいなところを繰り返すことで記憶が定着しました。インプットとアウトプットの繰り返しが、記憶力アップのカギだと体感しました。

瞬読の習得なしに英検1級合格はなかった!?

●T・S／会社員・30代

英検1級を受験するにあたり、もっと効率的に勉強しようと思ったのが瞬読を始めたきっかけです。英検1級は3回目で合格できたのですが、瞬読を始めてから半年くらいでした。合格には確実に瞬読が役に立ちました。試験では、語学力だけでなく、時事問題や幅広いトピックに対して自分の意見を述べることも必要です。瞬読に出会い、右脳を使って文章や単語を絵や景色に変換する作業を意識したところ、本が楽に読めるようになり、時事問題などへの興味も広く持てるようになりました。

単語も、どのような場面で使うかをイメージする覚え方に変わりました。右脳が働くことで、物事の考え方全般も変わりました。勉強を継続する楽しみを得られたのも、まちがいなく瞬読のおかげです。

国語の偏差値が49から64に！　無事、第一志望の中学に合格！

●M・M／小学6年生・10代

中学受験の勉強をしていましたが、小学6年生の夏になっても国語の成績が思うように伸びず、焦っていたときに瞬読を始めました。始めてから3か月後の模試で国語の偏差値が49から64に！　無事、第一志望の中学に合格できました！

TOEIC®で940点を獲得できました!

●S・Y/大学3年生・20代

何とか大学に入学したものの、帰国子女や留学経験者なども多く、自分がやってきた大学受験のための英語学習ではまったく歯が立たないことに愕然としました。

瞬読は本を速く読むためのメソッドですが、集中力や記憶力も格段にアップします。これを英語学習に生かし、1年でTOEIC®で940点を獲得できました。

たとえば、単語なら単語だけを集中して、瞬読の速さでどんどん見ていきます。このとき、瞬読のメソッドを生かして、イメージを伴わせるのがポイントです。

また、英語学習は、どれだけ高い頻度で繰り返すことができるかが重要になりますが、私はおそらく同じ時間で人の数倍、繰り返していると思います。海外留学経験なしでも、短期間でも、瞬読で培った記憶力と集中力があれば、TOEIC®高得点獲得は可能です!

宅建試験に合格することができました！

●T・S／整体師・40代

瞬読ができることにより、イメージする力がアップし、頭の中で問題が組み立てられるようになりました。結果、前回は不合格だった、本職とは無縁の宅建士（宅地建物取引士）の試験に合格することができたのです。

瞬読を始めてから、イメージする力が上がり、物事を直感的に捉えることができるようになったのは大きな収穫です。宅建の試験においても、瞬読のトレーニングで、本の内容をイメージで捉えることを常々やっていたため、試験問題を頭の中でイメージして組み立てられました。宅建の文章問題は、精読しなければいけない内容が多かったのですが、瞬読のおかげで精読のスピードも速くなっていると思います。

試験勉強に対するいちばんの効果は、やはり、イメージする力がアップしたことです。

ワインエキスパートの資格を取得できました！

●T・S／サービス企業管理職・40代

ワインエキスパートに求められる知識は産地や歴史の出来事、年号、製造工程の専門用語など、知らないワードが多くて、勉強を始めた頃はまったく入ってきませんでした。それが、瞬読を学び始め、1次試験前の頃には、知っているワードになっていることで、分厚い教本を流し読みしても、頭に入ってくるようになっていました。教本のこの辺りに書いてあったとか、産地はこの地図のこの辺りだとか……。試験の2週間前からは、過去問をひたすらやりました。

1問3秒くらいで、徹底的にとにかく眺めまくる‼　ワインエキスパート資格試験に合格できたのは、間違いなく瞬読効果です。

このような事例は、まだまだたくさんあります。

瞬読は年齢や経験に関係なく、いつでも誰でも習得できるのです。

はじめに

勉強に瞬読を取り入れたら、次々と目標を達成する人が続出！

私は、全国に30校以上を展開する学習塾を経営してきました。

生徒たちの学力向上のために、さまざまな勉強法を模索するうちに生まれたのが、**「瞬読」**というメソッドでした。

瞬読とは、瞬間的に、瞬く間に読む。文字通りの、本を速く読む技術の一つですが、それが瞬読のすべてではありません。

単語や文章を一瞬で見て頭の中でイメージし、覚えた内容を書き出す。

ただそれだけのとてもシンプルな方法にもかかわらず、**驚異的なスピードで本が読めるようになり、内容も記憶に深く定着**します。

このやり方を塾の授業に取り入れてみたところ、生徒たちの成績や偏差値がどんどん上がり、次々と第一志望校に合格するようになりました。

なかでも私がその効果を身に染みて感じたのは、私の長男の大学受験のときでした。詳しくは本書の中で紹介していますが、高校3年生の夏から、かなり遅いタイミングで受験勉強を開始し、模試の結果もすべてE判定だったのが、瞬読を利用した勉強に切り替えた結果、慶應義塾大学に合格を果たすことができたのです。

いちばん身近で見ていたからこそ、その飛躍的な変化には心底驚きました。

そして、**速く読めて記憶にも残ることは、単に本を読むことだけではなく、あらゆる勉強に効果がある**ことを実感したのです。

瞬読の計り知れない力を、まさに身をもって感じた出来事でした。

瞬読はこれまでセミナーや講座を通して約1万人の方々に指導してきました。本を速く読みたいニーズに応え、満足度は99%超を誇ります。そして、**勉強の分野にこそ、瞬読は大きな力を発揮**します。学生の入学試験だけでなく、社会人の資格試験や英語試験などです。これまで時間をかけても成し遂げられなかったことでも、**短時間で目標を達成することが可能となる**のです。

「瞬読式勉強法」は塾の教育ノウハウと瞬読スキルがかけ合わさって生まれたものです。

点数や偏差値を重視する教育から、想像力や発想力を養う教育へと、時代は大きな転換点を迎えています。そして今、学校や塾など教育の現場でも、瞬読を取り入れる動きが始まっています。未来のスタンダードになるであろう勉強法に、ぜひ本書でいち早く触れていただきたいと思います。

勉強を始める前の1分で、勉強の成果が変わる！

「記憶力が悪いから覚えられない」

「頭が悪いから勉強ができない」

「頑張りが足りないから成績が上がらない」

塾の生徒たちを見ていると、そんなふうに思い込んでいる子どもがたくさんいます。

保護者の方たちも同じです。もしかしたら、この本を手に取っているみなさんの中にも、同じように思っている人がいるかもしれません。

でも、違うのです。

そう思い込ませているのは自分自身です。どんな人も脳の重さはほぼ一緒。つまり、頭の良しあしに本来大きな個体差はないのです。

たとえば、自分の家の電話番号や携帯電話の番号を頭に思い浮かべてください。ほとんどの人がちゃんと覚えていて、そらで言えるのではないでしょうか。それが覚えられるなら、記憶する力があるということです。「できない」と決めているのは、これまでの失敗体験や周囲の声にとらわれているから。そのような**マイナス思考を、瞬読は一瞬でプラスに変えてくれます。**

「できない」と思っている人にこそ、おすすめの秘策があります。

本書では、第3章に瞬読の実践トレーニングを用意しています。まずはこのトレーニングを1日1分間、勉強の前にやってみてください。

勉強だけでなく、どんな物事もそうですが、始める前には「準備運動」が効果的です。体育の授業の前には必ず体操をしますよね。体が温まり、動かしやすくなります。

それと同じで、**勉強に入る前に1分間トレーニングをすると、脳が温まり、勉強の成果が変わってきます。**

1分間、時間を区切って集中する。

朝起きたら歯を磨くのと同じように、これをルーティンにしてみてください。たった1分間のトレーニングが勉強へのはずみとなり、頭がよくなります。

勉強においては、瞬読ほど最適な準備運動はないと言っても過言ではありません。

時間を区切り、瞬間的に読む瞬読の技術は、時間の質と効率を劇的に上げます。

普段読んでいるスピードの2倍で本を読むことなら、すぐにできます。2倍ができたらその倍、最初の速度の4倍の速度で読むことも可能になります。

これを勉強に取り入れれば、**60分の勉強が15分で終わるのです。**

言い換えれば、その15分は、60分に相当する密度の濃い時間です。その短時間で大量の情報を覚えることができ、右脳が働くことによってあらゆる力が引き出されます。

使える時間も、できることの可能性も無限大に広がります。

本書の構成は次の通りです。

第1章は、勉強に瞬読を取り入れることで、成果が上がる秘訣を紹介しています。

第2章は、成績を確実に上げていくために必要な7つのルールを紹介。ルール通りにやらなくても、瞬読のトレーニングで自然に身につくものばかりです。

第3章は、瞬読のトレーニングです。全部で5種類、76問。始めから全問1分でできる人はいないと思いますが、挑戦してみてください。すぐやりたい方は、79ページの「瞬読のトレーニングを始める前に気をつけること」を読んでから始めましょう。

大事なのは「1分間、集中して行う」ことです。トレーニングを続けていくとわかることですが、情報を面で捉えようとする、常にイメージする、自分の言葉で置き換える、情報の処理速度がアップする、パッと見てパッと答える習慣が身につく……など、すべての勉強において役に立つ能力が備わります。**普段の勉強の前に1分やると、この状態のまま勉強できるので、抜群に効率がよくなる**のです。

第4章は、瞬読で得られる効果とは別の問題で、勉強に「手がつかない」「続けられない」という人に効く7つの魔法の質問を紹介しています。

瞬読式勉強法で、ぜひみなさんの内なる能力を開花させてください。

たった1分見るだけで頭がよくなる **瞬読式勉強法** 目次

第1章

なぜ「瞬読」で「勉強ができる人」に生まれ変わるのか？

第2章

成績を確実に上げる「瞬読式7つの勉強ルール」

第3章 すべてを解決できる究極の瞬読式勉強法

第4章

勉強不全が好転する7つの魔法の質問

Photo：Adobe Stock

第1章

なぜ「瞬読」で「勉強ができる人」に生まれ変わるのか？

瞬読で右脳の働きが覚醒する

瞬読は、誰でも簡単にすぐマスターできる読書術です。

場所を選ばず、いつでもどこでもでき、驚くほど速く本が読めます。

しかもその内容は、忘れにくく、しっかりと自分の知識として定着します。


いったいなぜ、そのようなことができるのでしょうか？

そのカギは、**「イメージで覚える」**ことにあります。

単語や文章をパッと一瞬見て、その状況をイメージする。

ここが、頭の中で理解しようとしながら文字を追っていく一般的な読書とは大きく違うところです。


「イメージするだけで本当に覚えられるの？」と思われるかもしれませんが、**言語よりもイメージで覚えた記憶のほうが、大量に、しかも長期間保存できる**のです。

お誕生日やお正月など、特別な日の出来事を思い出してみてください。たとえ数年前のことでも、おそらく鮮明に思い出せるのではないでしょうか。これは、そのときのことをイメージで覚え、映像として記憶しているからです。映像化された記憶は残りやすく、また、引き出しやすくもあるのです。

この記憶のメカニズムには、**「右脳の力」**が大きく関わっています。

一般的に、本を読んだり勉強したりするときに使っているのは左脳のほうですが、左脳の記憶力は実は右脳に比べて浅くて薄いのです。左脳は顕在意識（表面意識）に関わっているので、頭で認識できる量には限界があります。繰り返し読んだり見たりして覚えないと記憶に残りません。暗記をするときに接着回数が必要なのはそのためです。

それに対し、**右脳は深くかつ大量に記憶できる力を持っています**。イメージで記憶された情報は、普段は覚えていなくても潜在意識（無意識）に蓄積されているので、必要な瞬間にパッと蘇ります。

それだけの能力を持っている右脳ですが、残念なことに、ほとんどの人が使えていません。

使われていない右脳に働きかけ、活性化させるのが、瞬読のトレーニングです。単語や文章をイメージで見ていくことで、本を速く大量に読めるだけでなく、勉強でも大量の情報を短期間で覚えられます。時間効率が上がり、勉強に必要な思考力・判断力なども養われていくのです。

さあ、さっそくその最強のワザを手に入れていきましょう。

速く、多く、深く読むことができる

「本を速く読むことができる」

これこそ、瞬読の最大のメリットです。真骨頂と言ってもいいでしょう。

そもそも、速く読むとはどういうことでしょうか。

どんなに速く読むことができても、読み終わってほとんど何も記憶に残っていなかったら、意味がありませんよね。

瞬読は、速く読めるだけではありません。

「速く、多く、深く」読める。そんな革命的なメソッドです。

秘密は、「読み方」です。

瞬読式の読み方は、立ち止まらず、流れるように読み進めることを基本にしています。読んでいる間は書き留めたり考えたりせず、スピードを意識して一気に読んでいきます。

本は1冊ずつていねいに時間をかけて読み切るものと思っている人にとっては、戸惑いがあるかもしれません。付せんを貼ったり、メモを取ったりしながら読むことが当たり前になっている人も多いでしょう。

もちろん、情報を取り出す作業としてそのような読み方が必要なときもありますが、中断するたびに思考は頭の中でブツブツと切れ、速く読むことはできません。

速く、かつ確実に本の趣旨や世界観をインストールするには、短い時間で集中力を上げて読む。これが何よりも有効です。

具体的なトレーニング方法は第3章でお伝えしますが、コツは2つです。

- かたまりごとに読む
- イメージしながら読む

文章をかたまりで捉え、目に飛び込んできた文字を頭の中でパッと組み合わせて、状況や光景をイメージします。これを瞬時に行いながら、一定のスピードで読んでいきます。

最初は1行くらいのかたまりでかまいません。慣れてきたら2行、3行、4行……というふうに量を増やしていきます。トレーニングを重ねると、読むスピードも速くなります。

このときに重要なのは、本の内容にこだわらないことです。一語一句完璧に理解する必要はまったくありません。「だいたいこんなことを言いたいんだろうな」とイメージするだけで、無理に頭を使わなくても必要な情報は潜在意識にどんどん吸収されていきます。

1回読んでみて物足りないと思ったら、もう一度繰り返してみてください。30分かけてじっくり1回読むより、スピードを上げて15分ずつ2回読んだほうがより深く記憶に定着します。

瞬読のトレーニングを積んでいくと、行単位を超えて、ページ単位のかたまりで読むことも可能。その単位が大きいほどイメージする力もアップし、自動的にたくさんのことを覚えられます。

私が運営する瞬読の講座の生徒さんの中には、たった2〜3分で1冊読めてしまう人もいますが、それらの人に共通しているのは**「できて当たり前」**と思ってやっていることです。**脳とは不思議なもので、「できる」と思ったら、勝手に数分で読める状態に持っていってくれます。**反対に、「できない」と思えば、脳はいつまで経ってもできる状態にはしてくれないのです。

「できる！」「できた！」「わかった！」と強く思いながら、読んでいってください。

必死に覚えなくても自分の言葉で答えが出せる

試験の前に「覚えていない」「どうしよう」と焦る気持ちになった経験はありませんか?

パニックのあまり、できるはずの試験もできなかった人がいるかもしれませんが、本当は焦る必要はまったくないのです。

「覚えていない」と決めているのは、実は左脳です。

左脳は、覚えなくてはいけないと判断したことを一生懸命記憶しますが、そのキャパシティは限られています。深く記憶に定着していないことは、いくら頑張っても呼び起こせません。そのため、「どうしよう」「できない」という負の感情が沸き起こってしまうのです。

反対に、**右脳を使ってイメージで覚えたことは、すぐに思い出すことができます。**

普段あまり勉強していないように見えるのに、なぜか本番に強く、テストで点が取れてしまう人がいますよね。このような人が、右脳で覚えるタイプです。

イメージで覚えたことは潜在意識に記憶されているため、表面上は覚えていないように見えますが、必要なときに必要な情報を瞬時にアウトプットすることができます。

そうなれば、試験だってもう怖くはありません。

たとえば、野球でボールを打つときの動作を思い浮かべてみましょう。

ピッチャーが投げて、ボールがこの位置まできたら手を引いて、バットにこう当てて……。

左脳で考えていると、動作は理解できても、その通りにはなかなか動けないものです。ところが、右脳で考えている人は、動きのイメージができているので、何も説明されなくても体が勝手に動き、ボールを捉えることができます。

勉強に置き換えれば、**正確に覚えたのち、たとえ忘れてしまったとしても、イメージで本質を掴めていて、自分なりの言葉で答えが出せる人**、と言えます。

近年の入試や試験では、答えの決まっていない問題、答えが一つではない問題が出題されることが多くなってきました。「結論（答え）」よりも、なぜそう考えたのかという「過程」を問われるケースが増えてきたのです。

資格試験なども答えの決まっている試験ではありますが、問題文を言い換えたり、誤解答に誘導したりするような問題もあるため、質問と答えをセットで覚えていてもあまり応用が利きません。

このような試験の場合は、なんとなく覚えていることに自分のこれまでの知識やアイデアを組み合わせて答えをアウトプットできることが強みになります。どういう切り口で聞かれても答えられる柔軟な思考は、瞬読の「イメージする」メソッドで身につきます。

必死に覚えようとしなくても、気がつけば「勉強のできる人」になっているはずです。

クイズに答えるような感覚で自己肯定感が高まる

瞬読のトレーニングに、ランダムに並んだ文字や文章を見て、自分の知っている言葉に瞬時に置き換えるものがあります。

すべてを読んで正確に置き換えようと躍起になってしまうかもしれませんが、このトレーニングは正解することがゴールではありません。

それがどんな物や様子を表しているのか、瞬時にイメージできること。

それが瞬読のゴールです。

ですから、**すべて読めなくても、答えがわからなくてもいい**のです。

テレビのクイズ番組を見ているとき、ガチガチに緊張しながら必死に答えを考える人はあまりいないと思います。間違っても軽く流し、正解したら、あの「ピンポン！」という音を聞いてウキウキと前向きな気持ちになるのではないでしょうか。

瞬読のトレーニングも、それと同じです。

「正解できなかったらどうしよう」と思う必要がないから、答え合わせも楽しく、間違っていても恥ずかしくないのです。

そもそもイメージは、○×をつけられるような正解のあるものではありません。

たとえば、「猫」という単語を聞いたとき、白い猫を想像する人もいれば、三毛猫を想像する人もいるでしょう。太った猫、あるいは複数の猫がいる光景をイメージする人もいるはずです。

どれが正解ではなく、どれも正解。答えは一つではないから、それぞれのイメージが違っていて当たり前なのです。

大切なのは、何をイメージするかよりも、瞬間的にすばやくイメージすることです。

ケーキを食べたとき、「甘い!」「おいしい!」と反射的に言葉が出てきますよね。それと同じように、どんな単語に対しても何でもいいからイメージして、声に出してみてください。この一瞬でイメージする作業が右脳を活性化させるのです。トレーニングで制限時間を設けているのは、そのためです。

イメージに正解はないのですから、瞬時に言葉が出てくれば、もうそれで「できた」ことになります。

私が主催する瞬読の講座では、生徒さんが単語や文章を見てすぐにパッと答えを出せたら、「できたね（できましたね）！」「すごいね（すごいですね）！」と言います。たとえ間違っても、「間違えた」「できない」「わからない」という言葉は使いません。

その代わりに使うのは、「できた！」「わかった！」「楽しい！」です。

時間制限をかけて、たとえわからなくても、「楽しい！」「できた！」と言いながらページをめくると、不思議なことに本当に楽しくなり、自己肯定感が生まれてきます。

この積み重ねで、**勉強もするすると続けられる**のです。

「なんか読めたかも」でポジティブな思考を手に入れる

本を読む目的は人それぞれだと思いますが、一語一句すべてを暗記するために読む人は少ないでしょう。

「知らないことを知りたい」

「自分の人生をより良くしたい」

そう思って読む人のほうが多いはずです。

今まで知らなかったことを初めて吸収するわけですから、最初は「たぶんこんなことが書いてあったな」くらいのざっくりとした内容が把握できれば十分です。

ただ、この状態をどう捉えるかは人それぞれです。

「全部はわからなかった」とネガティブに考える人もいるでしょうが、**「なんか読めたかも」とポジティブに捉えるほうが断然勉強に生きてきます。**

「なんか読めたかも」は、瞬読のトレーニングの最初の入り口でもあります。

瞬読を始めたばかりのときは、スピードに慣れていないこともあり、「あとほんの少しだったのに読めなかった」という気持ちが生まれます。

でも、これもプラスな言い方に変えれば、「なんか読めたかも」と同じなのです。

ポジティブな気持ちから入ると「次もやってみよう」と自然に前向きになり、情報の記憶量や蓄積量も結果的に増えていきます。

ここでも、**「できた！」「わかった！」「楽しい！」と思うことが、プラスに働く**のです。

私の経営する学習塾には、「本が読めない」「本を読むのが苦手」という子どもも来ます。これは記憶のメカニズムのせいでもあるのですが、2〜3回やってみてできなかったことは「できないもの」「苦手なもの」と左脳が決めつけてしまうのです。こういうときは、まずそのブロックを外すところから始めます。いきなり難しいレベルから始めると、また「できない」の負のループに陥ってしまうので、できるレベルから始めて「できた！」を繰り返します。

一度「できた！」と思えれば、しめたもの。そのあとは、どうすればできるかを自分で考えるようになるので、面白いように「できた！」が続いていきます。瞬読のメソッドを使えば、**自分自身の力で、ポジティブな思考を手に入れられる**のです。

トップアスリートや天才と呼ばれるアーティストたちは、誰からも教わらなくてもこのような思考を持っています。明確な目標やイメージを持ち、おそらく「できない」

と思ったことはほとんどないでしょう。「思い込み」とも言えますが、それこそが最高のプラス思考であり、夢を実現するエネルギーです。

「なんか読めたかも」と思えれば、もうゴールへの切符を手に入れたも同然なのです。

右脳でイメージして覚えたことを左脳で言語化する

「なんか読めたかも」と思ったら、もう一歩ゴールへと進んでいきましょう。

ここで行うのは、インプットされた記憶を、「使える記憶」にするためのアウトプットです。

今、みなさんは瞬読で本を1冊読み終えたところだと思ってください。

「面白かった」「役に立った」など、何か感想があるはずですが、そこで終わらせず、「具体的に何が面白かったのか」「どの箇所が役に立ったのか」を、すぐに考えて思い出す作業をしてみてください。

ポイントは、頭の中だけで思い出すのではなく、「書く」ことです。これが、アウトプットになります。**イメージで記憶したことを可視化する**作業だと思ってください。

書くときは、筆記具を使い、紙に書き出します。

パソコンやスマートフォンに文字を打ち込むことに慣れていると面倒に感じるかもしれません。けれども、同じ手を使うのでも、紙に書くアナログな方法のほうが、より記憶が定着し、脳が活発に働くことが実証されています。

書くタイミングは、本を読み終わった直後。書く時間は30秒もしくは1分間と短く設定します。その時間内で思い出せるだけの内容をとにかく書いてみましょう。文章になっていなくても、箇条書きでも、単語の羅列でもかまいません。

内容を覚えていなかったら、表紙や目次についてでもいいですし、究極の場合、「意味がわからなかった」「読めなかった」でもいいのです。**何でもいいから書くこと**です。

トレーニングを続けていると、思い出せることが増え、書く量も増えてきます。時間が過ぎてもまだスラスラと思い出せることがあれば、もっと書き続けてもかまいません。

書き出せたものこそ、本当の意味で使える記憶です。

イメージだけをするのではなく、書くというアウトプットまでやって、初めて知識が深く定着します。

なぜなら、書くという作業は、左脳を使うからです。

右脳でイメージしながら覚えたことを左脳で言語化することで、両方の脳がバランスよく働き、活性化します。

たった30秒～1分間なら、誰にでも続けられます。

いつでも取り出せる記憶が増えれば、どんな勉強にも役立ちます。

「見たら答える」が習慣になる

私はこれまで、自分の学習塾で2万人以上の生徒を見てきました。

その中で気づいたのは、勉強のできる子とできない子には、行動に歴然とした差があることです。

勉強ができる子と言えば、知識が豊富だったり、問題集を買いそろえてきちんと問題を解いていたりするような印象があります。

けれども、そういう子が勉強ができるかというと、必ずしもそうではありません。

それがなぜなのか、見ていてわかったことがあります。

知識はたくさんあるのに、それを話したり書いたりしていないのです。

問題集は1回解いて終わりにしてしまい、新しい問題集をまた買っています。つまり、アウトプットが圧倒的に足りないのです。

それに対して、**勉強ができる子は、新しいものには手を出さず、自分で「これ」と決めた問題集を、ひたすら何度も繰り返してやっています。**また、**授業の最後には自分なりに内容を振り返っています。**

前項でもお話しした、インプットとアウトプットは両方をやって初めて知識が身につくことの証明と言えるでしょう。

そうとわかれば、あとは簡単です。これを**日々の習慣にしてしまえばいい**のです。

習慣といっても、堅苦しく考えることはありません。

1日にたった10分、振り返る時間をつくるだけです。

やったことをやったままにせず、見直して、「こういうことだったな」と思い出しておきます。本を読んで内容を書き出すのと同じように、1つの問題や単語、項目ごとに30秒もしくは1分ずつと決めて、その時間内でパッパッとスピーディーに思い出していきます。

これでもう、アウトプットは完成です。

勉強以外でも**「見たら答える」を習慣にすると、アウトプットの力が養われます。**たとえば、ドラマを見たらその感想を人に伝えたり、ニュースを見て感じたことをブログに綴ったりするのもいいでしょう。

外を歩いているとき、電車に乗っているときなども、目についたものについて、パッと考えて答えを出す習慣をつけると右脳の力がどんどん鍛えられていきます。

「なんでそうなるんだろう？」と、常に疑問を持つことも大切です。

家の近所に新しく保育園ができたとしたら、「なんでだろう？」と考え、「最近マンションが建ったからなのでは？」と、自分なりに考えて答えを出してみるのです。

好奇心を持つ、と言い換えてもいいかもしれません。

最近、私は初めてあるデリバリーサービスを利用したのですが、以前は、外を歩いていてもそのサービスにまったく気づいていませんでした。それが、一度利用したら、町を走る配達員の人たちの姿が自然に目に飛び込んでくるようになったのです。さらに、「彼らはどうやってお客を取っているんだろう？」と調べてみました。知った途端に興味が湧いたのです。

そうやって興味の対象が増えると、特別な努力をしなくても基礎知識は増えていきます。知識がストックされるほど、「以前知ったあのこととつながっている！」と、自動的に紐付けられるのです。

好奇心を全開にして、あらゆる場面で「見たら答える」を実践していきましょう。

スピード感覚を手にし、時間効率を考える

瞬読の最大のメリットは、何と言っても**「読むスピードが上がる」**ことです。

文字を読むスピードが上がれば、思考のスピードも上がる。それに付随してあらゆるスピードが速くなっていくため、当然**時間効率も上がります。**

一般的に、本を1冊読むのにかかる時間は、だいたい2時間くらいと言われています。

私に言わせれば、本当にもったいないことです。瞬読なら、初心者でも1冊20分で読めてしまうからです。

2時間かけても20分でも得られる情報量は同じですから、20分で読んで残りの時間をほかのことに充てたほうがずっと効率的です。

私が講座で行っている瞬読のトレーニングでも、1冊20分をベーシックな単位としています。人間の集中力が持続する時間も20分と言われているので、20分で1冊読んで少し休み、慣れてきたら、15分に縮めてみます。このトレーニングを繰り返していると集中力がつき、勉強でも時間効率がグッとよくなります。

2時間からいきなり20分にするのが不安という方は、まず、自分が普段読むスピードの倍速で読むことから始めてみましょう。2倍の速度なら、誰にでもすぐにできるので、自信もつきます。

次はその速度の倍を目指します。最初の速度の4倍ということになります。最初は慣れないかもしれませんが、やってみると意外とクリアできてしまいます。瞬読で**4倍速く読めれば、思考のスピードも4倍にアップ**します。

講座では、朝の6時から30分間の「朝活」トレーニングを実践しています。

「会社に行くため6時10分に家を出ないといけないから参加できない」という生徒さんがいたのですが、私は「5分でもいいからやってみてはどうですか」と勧めました。

たった5分でも、4倍のスピードで読むことができたら、20分と同じくらいの密度の濃い時間に変わります。この5分を毎日続ければ、年間で80時間ほど周りに差をつけることができるのです。

「たった5分で何が変わるんですか」と最初は言っていたその人も、今は、その5分の有効性を実感して続けています。

私自身も、日頃から時間効率を意識しています。

たとえば、毎朝家事や仕事の準備にかける時間は30分と決めています。それまでは

50分くらいかかっていたのですが、30分と決めてからは、その時間ぴったりに終わるようになりました。ここで生まれた20分の余裕時間で、情報収集のため本を読んだり動画を見たりします。瞬読が身についていると、動画も普通のスピードでは遅く感じてしまい、2倍速、3倍速で見るのが習慣になっているので、さらに時間の余裕が生まれます。

1日の仕事時間も決め、その時間内に終わらせるようにしたところ、仕事の効率がとても上がりました。そのおかげで、残りの時間は趣味や好きなことに充てることができています。

時間そのものを増やすことはできませんが、スピード感覚を上げ時間の密度を濃くすることは、誰でもできます。

読むスピードが上がり、思考のスピードも上がれば、それは勉強において計り知れない効果を生み出します。

瞬読を取り入れたそのときから、「勉強ができる人」に生まれ変わることができるのです。

第2章

成績を確実に上げる「瞬読式7つの勉強ルール」

ルール1

コツコツ暗記はやらない！右脳と左脳で忘れない記憶にする

時間をかけて、真面目にひたすらコツコツと覚える。

暗記には、そんなイメージがつきまとっています。それが美徳とされた時代もありましたが、もう昔の話です。

コツコツ暗記はもう忘れましょう。もっと楽に確実に覚えられる方法があります。

現在、スタンダードとされている暗記方法は2つです。

一つは、感情と結びつけること。「嬉しい」「楽しい」といった感情を伴う記憶は、右脳に定着します。

もう一つは、繰り返しインプットすること。何度も入ってくる記憶は、脳が重要なものと認識するからです。こちらは左脳を使った記憶方法です。繰り返しの回数は諸説ありますが、一般的には7回が定説となっているようです。

瞬読式のメソッドを使えば、この両方を同時に行うことができます。

しかも、**スピーディーに、時間をかけずに覚えられる**のです。

例を挙げて説明してみましょう。

英語の単語を暗記するとき、「1日何個」と、覚える数を決めてやっている人は多いのではないでしょうか。

瞬読式では、「1日何周」という捉え方をします。

1日10個の単語を10日間で100個覚えるより、1日100個の繰り返しを3日間やったほうが圧倒的に記憶に残ります。

1日100個と聞くと大変だと思うかもしれませんが、覚えられなくても気にする必要はありません。**覚えようとせず、見るだけでいい**のです。「**コツコツ**」ではなく、「**サラッと**」ですね。**見るときは、頭の中でビジュアル化**します。「**面白い**」などの感情**を伴うと、より記憶に残りやすくなります。**

重要なポイントは、この作業を「**高速で繰り返す**」ことです。

パッパッと秒単位で見ていけば、100個見るのに5分もかかりません。これを何周も繰り返します。10日間も時間をかけなくても、3日間程度でもかなりの繰り返し回数になります。何度も繰り返すことで左脳が必要な情報として認識し、さらにビジュアルとして右脳にも記憶されるので、ダブルで「忘れない記憶」になるのです。

話は少し勉強から逸れてしまいますが、たとえば、お店の常連になりたいと思ったときなどにもこのワザは使えます。

最初に行ったあと、1週間以内にもう一度行くのです。

それくらいの短い期間だと、お店の人もまだ覚えていますし、「こんなに早くもう一度来てくれた」と嬉しく思ってくれるはずです。

回数は少なくても、もう常連の感覚です。

逆に、10年通っても、それが1年に1回だったら、相手の記憶にもなかなか残りにくく、常連とは思われないことのほうが多いのではないでしょうか。

「短いスパンで繰り返す」こと。

これが暗記の鉄則です。

ルール②

「やる気がない」はただの思い込み。1分のルーティンでやる気を解放する

大人でも、「どうもやる気が出ない」「やる気が起きなくてなかなか勉強に手がつけられない」という人は数多くいるでしょう。

私も、保護者の方から「うちの子、やる気がないんです。どうしたらいいですか？」とよく相談を受けます。

心配は無用です。

「やる気」はとても簡単に、しかも自分で出せるのです。

その秘訣は、**「やり始めること」**です。

「やる気がないからやれないのに矛盾している」と思われるでしょうか。

いいえ、これでいいのです。

実を言えば、人間誰しも本当はやる気はあるのです。ただ、自分で「やる気がない」

と思い込んでいるだけです。その状態から抜け出すには、やる気がないと感じていてもいいから、とにかく四の五の言わずに始めてしまうこと。これが、やる気を出すいちばんの近道です。

「学校へ行きたくない」と言っている子どもも、「今日会社に行きたくない」と言っている社会人も、玄関から一歩外に出たら、自然に会社や学校に向かいますよね。勉強も、やりたくなくても3分でもいいから始めてみると、そのまま続けていけることが多いのです。

このようなルーティンを、まずは自分でつくってみましょう。

英語の単語帳をパラパラと見る、英語の音楽を流すなど、自分なりに続けられそうなものをいろいろ試してみてください。ハードルが高いと続かなくなってしまいますから、より簡単なものにするのがいいでしょう。

やることを決めたら、あとは「できる！」と思い込んで、とにかく毎日続けること。朝起きたら歯を磨かないと一日が始まらないように、「これがないと勉強が始まらない」状態に持っていけるのがベストです。そのルーティンが「助走」の役割を果たしてくれます。

しかし、**何と言っても最も効果がある助走は、「瞬読」**です。

やる気が出ない人は、勉強を始める前の1分間、高速でバーッと文字を見る本書のトレーニングをしてみてください。その勢いのまま勉強に移行すると、集中して勉強にのめり込んでいけます。右脳も刺激され、どんどん情報が頭に入ってきます。

この**たった1分のルーティンが、予想を超えた起爆剤となる**のです。

ルール③ 勉強に手遅れがあると思わない！ 思考スピード4倍速で目標を達成できる

勉強に手遅れなんて、ない。

それを実感したのは、まさに私自身の長男の大学受験のときでした。

長男は野球をやっており、高校時代も野球部の寮で生活するほど、部活動に専念していました。もちろん学校の授業は受けていましたが、塾に通ったこともなく、受験勉強はまったくやっていません。

受験勉強を始めたのは、高校3年生の7月から。志望校は慶應義塾大学で、しかもあと7か月しかないというのに、まったくのゼロからのスタートでした。センター模試は5割も取れず、すべての科目がE判定。当然のことながら、周囲からは「絶対に無理」という声しか聞こえませんでした。

ところが**7か月後、長男はみごとに現役合格を果たした**のです。

ゼロからの勉強で、なぜ間に合ったのでしょうか。

それは、**瞬読を取り入れた勉強をした**からにほかなりません。

ちょうど私は、経営する学習塾で瞬読を取り入れ始めたところでした。当時はどれくらいの成果があるかは未知数でしたが、「これをやったら絶対に成績が伸びるはず」と確信して、やらせてみたのです。

長男はもともと読むのが遅く、試験の問題文も一語一句読むタイプでしたが、トレーニングを積んでどんどん速く読めるようになりました。それにつれて、覚えるスピードもアップしていきました。驚いたのは、まったく白紙状態だった世界史をわずか

1か月半で最初から最後まで1周終わらせたことです。普通なら、4〜5か月かかるはずです。

本人も自信がついて、「あとは接着回数を増やすだけ」と、何周も繰り返し、同じ要領で英単語も膨大な数を覚えることができました。覚えるスピードが上がるとたくさんの問題に触れる時間ができるので、当然模試の成績も上がります。

受験科目には小論文もあったので、時事問題の知識も必要でしたが、時間効率を上げて新聞を読む時間をつくり、攻略することができました。

このように、勉強には手遅れはありません。

ですが、そこには**「間に合うための方法でやる」**という前提条件があります。

やみくもにやっていては間に合わないと、肝に銘じてください。

私の長男の場合、入試に間に合わせるためには圧倒的なスピードが必要でした。左脳で記憶する場合、必要な接着回数は7回と言われていますが、**瞬読のイメージ記憶ならほぼ3回で定着**します。半分以下の回数ですむうえに、右脳で覚えているので忘れません。**やればやるほど倍速、4倍速とスピードもアップ**します。

普通のスピードで7回と、4倍速で3回。どれくらい効率が違うのか、もうおわかりですよね。

時間を取り戻すことはできません。

ですが、**勉強は取り戻すことができる**のです。

ルール④

自分で答えを出すことを習慣にすると、誰でも地頭のいい人になれる！

「地頭がいい」という言葉をよく聞きますよね。

いろいろな解釈があると思いますが、私の考える**地頭がいい人は、「答えがない答えを出せる人」**です。

もう少し具体的にお話ししましょう。

まず、地頭のいい人は、基礎知識が豊富です。これまでの経験、読んだ本、人と交わした言葉など、いろいろな情報を知識として持っています。そして、何か答えを出さなくてはいけない場面で、それらの基礎知識をもとに想像力や発想力を駆使して、自分の言葉で答えを導き出します。

地頭のいい人は、会話のレスポンスも早いです。人から聞いたことに対しても、「それって、こういうことですよね」と、瞬時にほかの言葉に置き換えることができます。

想像力、発想力、柔軟性が高いから、すぐに答えが出てくるのです。

「天才だから」「特別な才能があるから」——いいえ、そうではありません。

普段から、あらゆることに**自分で答えを出すことを習慣にしていれば、どんな人でも地頭は鍛えられていく**のです。

それをかなえるのが、瞬読のトレーニングです。

パッと見て答える、イメージする、何が書いてあったかを思い出す。

繰り返すうちに語彙と知識が増え、自分の言葉にしたり言い換えたりするスキルが身につきます。

このトレーニングは、毎日続けていくと格段に変わります。第3章でぜひ体感してみてください。

テキストを使わなくても、同じことは日常生活の中でも訓練できます。第1章でお話しした、「見たら答える」習慣が、まさにそうです。些細なことでも「これ、どういうことだろう?」と考えて、自分なりに答えを出してみてください。

触れる言葉は多いほどいいのですが、ネガティブな言葉は、モチベーションに影響してしまいます。**意識してポジティブな言葉に触れる**ようにしましょう。気持ちもポジティブに、「楽しい!」と思いながらやるのがポイントです。

知らないことを知るのは、楽しいものです。一度知ると興味が湧き、そこからあらゆることに波及して、知識はどんどん増えていきます。

知りたいと思う気持ちさえあれば、誰でも地頭のいい人になれるのです。

ルール⑤

無駄のない勉強をするには、時間の使い方をイメージする

試験に合格するために必要不可欠なことは何だと思われますか？

その答えは、**「ゴールを決めて逆算する」**ことです。

たとえば、山登りに行くとき、富士山登頂を目指すのと、近所の低山を目指すのでは、装備はまったく違いますよね。それを考慮せずに「とりあえず登る」「行けるところまで行く」というのは、あまりにも無謀です。どの山を目指すのかをまず決め、必要なものを準備するように、**試験勉強もゴールを決め、そこから逆算して、何をどれくらいやらなくてはいけないかをまず知る**ことです。

最近では「コーチング」といって、合格までのスケジュールをオーダーメイドで作成してくれる学習塾も増えてきました。生徒それぞれの無駄な時間、無駄な勉強をとことん省き、やるべきことを1日単位まで落とし込んで提示してくれるので、その通りにやればほぼ誰もが合格できるというかなり合理的なシステムです。極端に思える

かもしれませんが、ある意味、最も無駄のない勉強方法と言えるかもしれません。

そこまでではなくても、**無駄な時間を把握することは重要**です。

まずは、自分が1日の時間をどう使っているのか、洗い出してみてください。

勉強や仕事をしている時間、ご飯を食べる時間、ゲームをしている時間……。円や棒のグラフにして書き出し、可視化するとより明確になります。

「ゲームを2時間もやっているなんて思わなかった」「朝起きてから何もしていない時間が30分もあった」など、意外に無駄な時間が多いことに驚くのではないでしょうか。

そのうえで「ゲームはどうしても30分だけやりたい」「朝の30分は無駄な時間」というふうに、**すべての時間を、「絶対に必要な時間」と「削ってもいい時間」の2種類に分別**します。

これがファーストステップです。

次は、ゴールに向けて、具体的に逆算していきます。試験が半年後なら、何をどれくらいやらなくてはいけないか。合格するためには、**どういう時間の使い方をするかをイメージする**のです。ゲームの時間が2時間から30分になったら、そこで生まれた1時間半でどんな勉強をしたらいいのか、一つ一つ考えていきます。そうすると、自然に1日の流れが出来上がります。

1日にやるべきことがわかれば、1週間、1か月と長いスパンのスケジュールも掴めてきます。この積み重ねの先にあるのが、合格のゴールです。

もちろん、やっていくうちに細かいスケジュールは変わってくるでしょう。そのときに迷わないためには、ゴールはできるだけ明確に持っておくことです。できる人ほど、具体的なイメージを持っています。臨機応変に軌道修正するにも、イメージする力が物を言います。これも、すべて瞬読のトレーニングで手に入れることができます。

とは言っても、最初のうちはイメージするのは難しいかもしれません。

大人ほど、身に染みついたルーティンがあるので、なかなか変えられないものでしょう。

その場合は、必要な時間と削れる時間をシンプルに分けるファーストステップだけでも十分です。

無駄に気づいた瞬間から、ゴールへの道は一気に開けてきます。

ルール6

「わかる」を「できる」に変えると、一生モノの勉強スタイルが手に入る

みなさんは、「わかる」と「できる」の違いは何だと思われますか？

どちらもある程度のレベルまで達しているニュアンスがありますが、実はそこには大きな違いがあります。

「わかる」は、学校の授業で先生の話を聞き、理解できるということ。説明を聞けば、おそらく8割の生徒は「わかった」と納得します。塾も手取り足取り教えてくれるので、「わかった」と思わせてくれます。授業直後なら、決められた答えの中から正解を導くこともできるでしょう。

けれども、もしその箇所を2日後に質問したとしたら、どうでしょう。ちゃんと解ける生徒はとても少ないのが実情です。それは、頭の中で理解しているところで終わ

っているからです。わかったつもりになっているだけで、本当の意味ではわかっていないのです。

「できる」は、その先にあります。時間が経っても解くことができ、問題のパターンが変わっても、アプローチの仕方が違っても、答えが出せることです。

「わかる」で止まっているインプットされた知識が自分のものとして身につくこと。それが「できる」ということです。

知識を身につけるためには、必要な情報を確実にインストールしなければなりません。そこにも、瞬読のトレーニングが生きてきます。カギとなるのは、やはり復習＝アウトプットを繰り返すことです。

繰り返し解いて復習することで、決められた答えではなく、自分の頭で考えた答えを出せます。**「わかった」の何がわかったのかを自分の言葉で説明することができた瞬間、「できる」に変化している**でしょう。

そうは言っても、「わかる」から「できる」へレベルアップできたかどうか、自分自身では判断できないかもしれません。

それを確認するいい方法があります。実際に生きた場面で「使う」ことです。


試験で点数が取れた。

本を読んで吸収した知識をプレゼンに応用することができた。

ずっと勉強してきた英語が、実際に話せて聞き取れるようになった。

このように**「使える」ようになれば、もう「できる」に到達している**のです。

勉強の本来の役割は、「わかる」だけではありません。

得た知識を身につけて、どう使うか。

インプットしただけでは、せっかく勉強しても意味がなくなってしまうのです。それは、あまりにももったいないことです。

「できる学力」は、一生使える知識です。短期間の勉強だけでなく、人生すべての場面で生きてきます。

ルール7

「脳は物事を覚えないようにできている」を利用する

「せっかく覚えたことを忘れてしまったらどうしよう」

「頭が悪いから覚えられないのかも」

勉強をしている人からよく聞く悩みです。

不安になるのはわかりますが、悩む必要などありません。

なぜなら、そもそも**「脳は物事を覚えないようにできている」**からです。


脳は覚えるスペースがとても少ないのです。

脳の質量も、体全体の2％しかないと言われています。それなのに、消費するエネルギーは20〜25％もあるそうです。

スペースも質量も少ないにもかかわらず大量のエネルギーを使うため、必要ないと判断した情報はどんどん忘れていくシステムが働いています。

つまり、忘れるのが当たり前ということです。

ならば、**忘れることを利用した覚え方をすればいい**だけです。


たとえば、4時間かけて100個の単語を覚えたとしましょう。

どんなに必死に覚えても、覚えないようにできている脳のシステムにより、翌日にはおそらく半分は忘れてしまっています。この方法を続けていたら、時間がかかるばかりで、一向に覚えられません。ここで、忘れることを利用した覚え方の出番です。

この章の最初にお伝えした暗記のやり方を覚えていますか?

脳に必要な情報と認識させるためには、短いスパンで繰り返すことが重要、とお話ししましたよね。

「4時間で100個」を「1時間100個を4日間繰り返す」に変えてほしいのです。

同じ4時間でも、記憶に定着する量は断然多くなります。


回数に加え、イメージも利用するのが瞬読式です。

自分の家まで帰る道順は、子どもでも覚えていますよね。

毎日通って回数を重ねていることに加え、「曲がり角に公園がある」など、映像でも記憶しているからです。

短時間で接着回数を増やしながら、できるだけ頭の中で映像をイメージすることで、より忘れない記憶として定着します。

勉強はインプットのほうが大切だと思っている人が多いのですが、本当に効率のいい勉強は「インプット3、アウトプット7」と言われています。勉強のできる人ほど、少しのインプットでさまざまなパターンの問題を解けます。

短い時間での繰り返しは、復習＝アウトプットです。頭の中でイメージするのも、アウトプットの一環です。

アウトプットに比重をかけた瞬読式なら、確実に成果を出すことができるのです。

第3章

すべてを解決できる究極の瞬読式勉強法

期限を決めて、間に合わせる

さあ、第3章では、瞬読のスキルを身につけていきましょう。

その前に、まず意識していただきたいのは、**「時間」**です。

1日は24時間。どんな人にも平等に与えられている時間の中で、いかに時間の質と効率を上げるか。膨大な情報を処理し、吸収するためには必要不可欠なことです。

瞬読式勉強法で取り入れている、**時間内で単語や文章を読むトレーニングこそ、この時間の質と効率を劇的に上げる**ものです。

短い時間で区切り、その時間内に答える。それが習慣になると、ほかのことも期限内に間に合わせることができるようになるのです。

60分かけてやっていたことを15分でできたとしたら、やっている量は同じにもかかわらず、時間が45分伸びたような感覚になると思いませんか？

その理由は、時間の質と効率が上がったからにほかなりません。本来時間は有限なはずなのに、15分という期限の中で間に合わせることで、**無駄な時間がなくなり、使**

える時間が増えるのです。いとも簡単な時短の方法です。

これは、大人も子どもも関係なく、すべての人にとって何より大きなメリットではないでしょうか。

使える時間を増やして、時間の質を高める。

まずはこの感覚をトレーニングで実感してください。

問題を読み解く力を手に入れる

みなさんは、現代文という科目に対して、どんなイメージを持っていますか?

日本語で書かれているから意味が理解できるし、ほかの科目に比べたら簡単。そんなふうに思っていないでしょうか?

私は、現代文こそが、すべての科目の中でいちばん難しいと考えています。

なぜなら、明確な答えが決まっていないからです。

数学や社会なら、覚えるべき知識やポイントがある程度決まっていますし、繰り返し解いていたらできるようになります。

しかし、現代文は、答えが決まっていないぶん、問題も多岐にわたっています。何を聞かれているのか、問題の意図は何なのかがわからないと、文章の意味がわかっても答えを出せないというケースが出てきます。

この「問題を読み解く力」、つまり読解力は、現代文に限らず、すべての科目に必要な力です。数学も社会も英語も、書かれていることを読んで理解できないと、覚えた数式や単語も役に立たないでしょう。言葉を理解する国語の力は、すべての科目の基礎と言えるのです。

では、この読解力、国語力はどうやったら身につけることができるのでしょうか？

まずは、**「語彙力を高める」**ことです。

知っている言葉が多いほど、基礎知識があるほど、文章の意味は掴みやすくなるものです。ジャンルを問わず多様な単語に触れることのできる瞬読は、語彙を増やすことにも大いに役立ちます。

そしてもう一つは、**「背景知識を知る」**ことです。

言葉の単純な意味だけを知っていても、読み取れるのは文章の表面上の意味以上でも以下でもありません。

絶対的に必要ではないけれど、背景知識をたくさん持っていればそれだけ理解しやすくなり、文章の深意が読み取れるのです。

たとえば、歴史に関する文章なら、その時代背景などです。高い語彙力や豊富な背景知識があってこそ、文章の深意まで読み解くことができるのです。そこに必要なのは、やはりイメージする力です。

この2つは瞬読のトレーニングで同時に手に入るのです。

スピードを上げて繰り返す方法を習得する

入試や資格試験など、期限が決まっている勉強を制覇するためには、いかにスピードを上げて繰り返す回数を増やすかに尽きます。

一瞬で文字を見ながら本を読んでいく瞬読のトレーニングがそれをかなえます。日常的に続けることでスピードも回数も上がっていき、するする覚えられます。

「スピードを上げて繰り返す」

これこそまさに瞬読の要です。

このやり方は、あらゆる科目に有効です。たとえば数学は、問題をひたすら解くことがすべてと思いがちですが、いくつかの解法をあらかじめ覚えてしまったほうが結果的には楽に正解を導くことができます。短時間の繰り返しで頭の中にインストールできるので、あとは解法同士を組み合わせればいいのです。

組み合わせるのに必要なイメージする力も、もちろん瞬読で養われます。数学では暗記という表現を使いましたが、一般的な勉強に置き換えれば「基礎知識」ですね。**蓄えた知識を組み合わせて答えを出すことが、結局すべての科目に必要**なのです。

そしてそれは、瞬読のメソッドですべて解決できます。

瞬読のトレーニングを始める前に気をつけること

瞬読のトレーニングは、AからEまで全部で5種類、76問あります。

実際に見ていただければわかると思いますが、トレーニングといっても難しいものではありません。バラバラに並んだ文字を並べ替える、文章を見てイメージするなど、年齢を問わず誰にでもできる簡単なものです。

トレーニングは、どこから始めてもかまいません。最初からやっても、後ろから始めてもいいですし、たまたま開いたページから始めてみるのもいいでしょう。ついAから順番に始めてしまいたくなるかもしれませんが、むしろランダムにやったほうが効果的です。同じことを繰り返していると、脳は「次はこうくるだろう」と予測してしまいます。**あえて違うところからやることが刺激となり、活性化につながる**のです。

また、**何回もやっていると答えを覚えてきてしまいますが、それも気にしなくて大丈夫です。**たとえ同じ答えでも、イメージするものや答えの導き方は、一通りではな

いはずです。それが無限にできてしまうのが、このトレーニングの優れたところです。

トレーニングをやるにあたってのポイントは、「集中して、1分間行う」ことです。タイマーなどを使って時間をはかり、できてもできなくてもそこで終わりにするのです。時間を制限することで、集中力は格段に上がります。

そして、もう一つ、意識していただきたいのは、一問にかける時間も**「制限時間を決めて一定のペースで進める」**ことです。最初は1つにつき3秒間と決め、できるようになったら2秒間、さらに1秒間というように少しずつ速いスピードでできるようになるといいでしょう。読めなくても、わからない箇所があっても止まらずに、テンポをキープしながら先に進みます。**無理して答えを出す必要はなく、極端に言えば、読むだけ、見るだけでもかまいません。**

解答は全問題が終わった後の177〜182ページにありますが、「問題を一問見てすぐ答えを見る」は、やめましょう。

このトレーニングで瞬読を身につければ、受験勉強、資格試験、TOEIC®・英検、昇進試験など、すべての試験や勉強において成果を上げることも夢ではありません。

では、いよいよ次のページから始めていきましょう。

判断力が上がるトレーニング

ランダムに配置された文字列から単語を推測し、ビジュアルをイメージする

(例題)

士

富

山

問題 A-1

気　　　　者

人

問題 A-2

あ

げ　　　か

ら

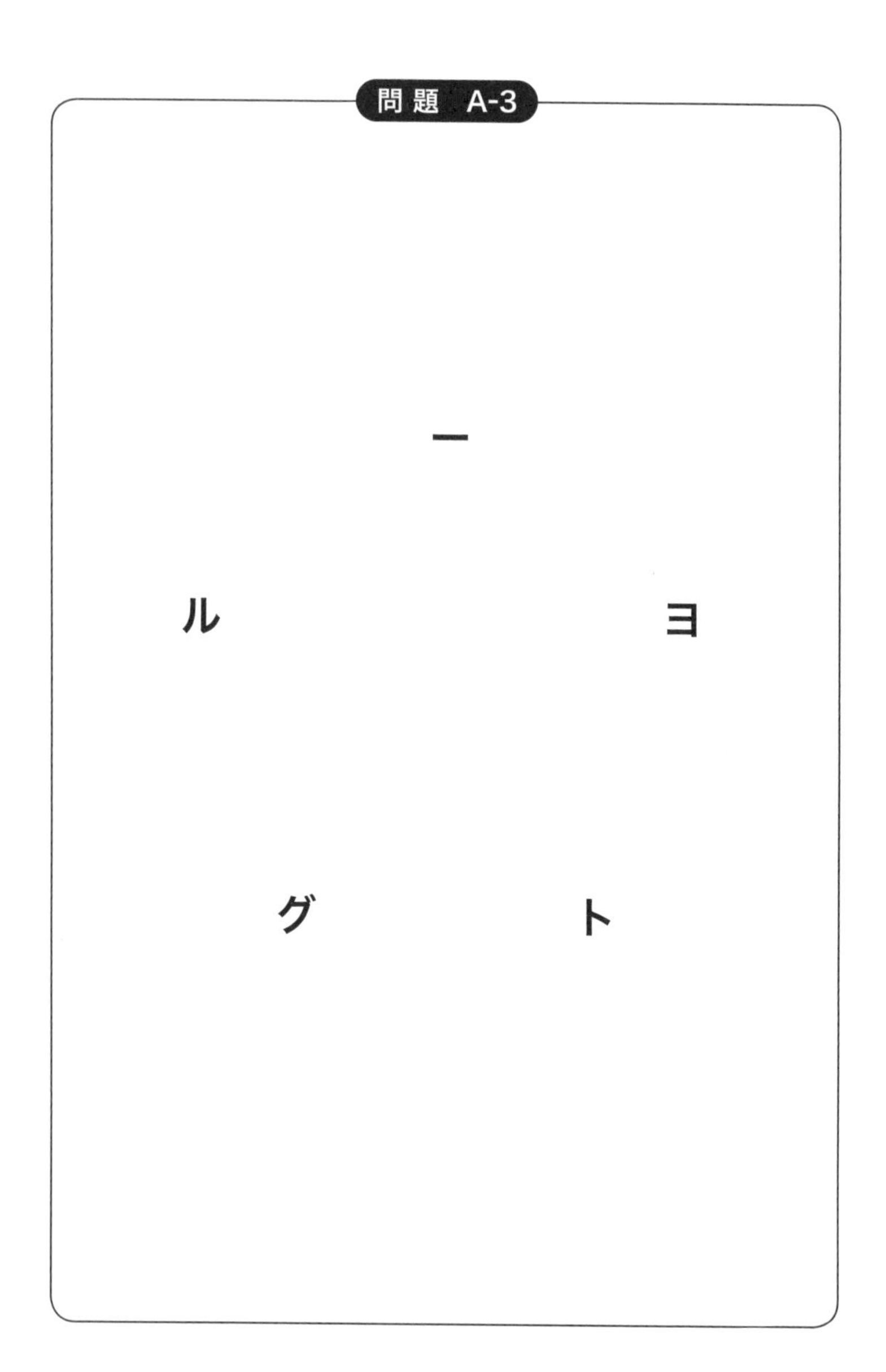
問題 A-3
ー
ル
ヨ
グ
ト

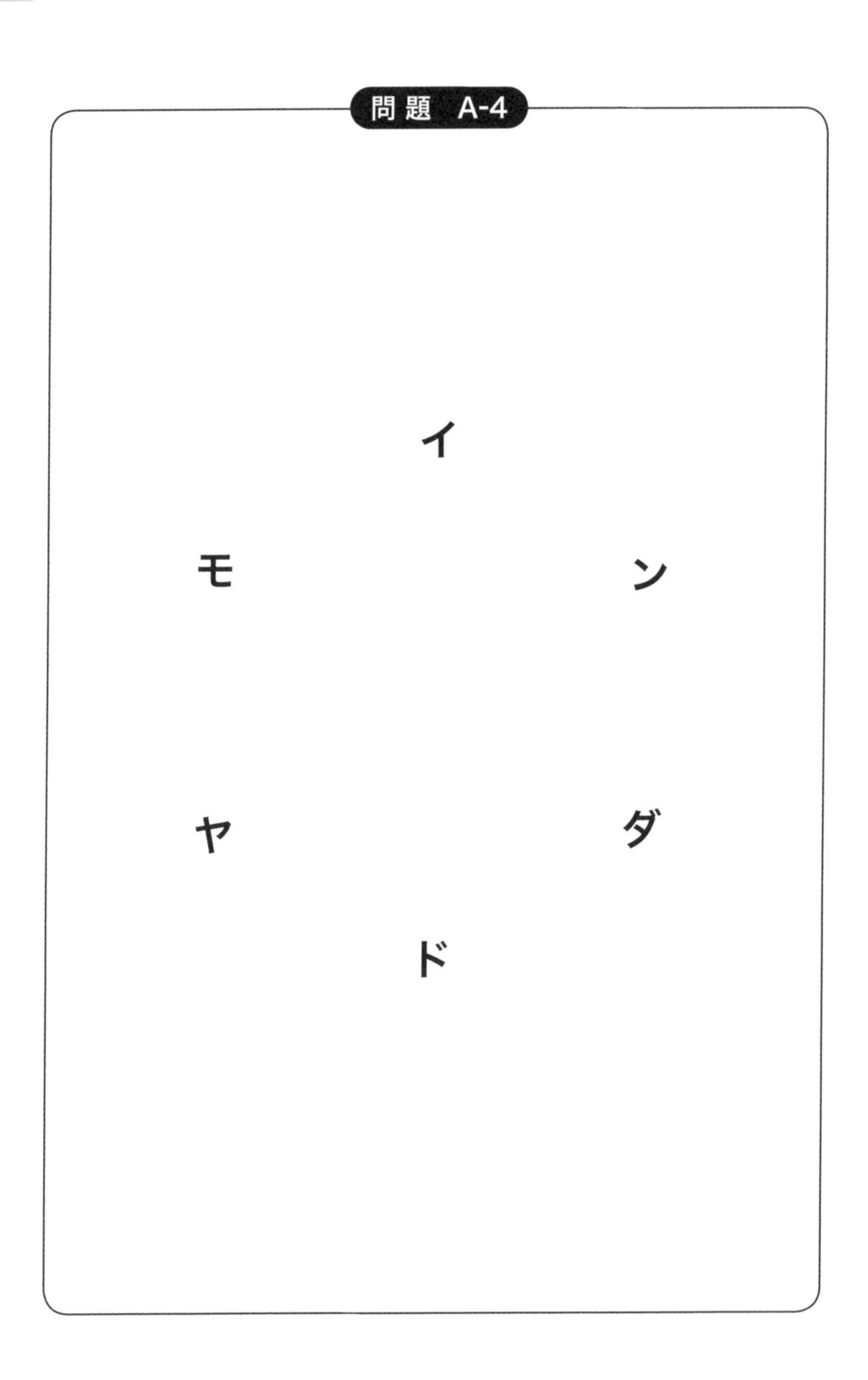
問題 A-4
イ
モ
ン
ヤ
ダ
ド

問題 A-5

ヤ

グ　　　　ジ

ジ　　　　　ン

ム　　　ル

郵 便 は が き

料金受取人払郵便

渋谷局承認

2087

差出有効期間
2025年12月
31日まで
※切手を貼らずに
お出しください

1 5 0-8 7 9 0

1 3 0

〈受取人〉
東京都渋谷区
神宮前 6-12-17
株式会社ダイヤモンド社
「愛読者クラブ」行

本書をご購入くださり、誠にありがとうございます。
今後の企画の参考とさせていただきますので、表裏面の項目について選択・
ご記入いただければ幸いです。
ご感想等はウェブでも受付中です（抽選で書籍プレゼントあり）▶

年齢	（　　　　）歳	性別	男性 ／ 女性 ／ その他
お住まいの地域	（　　　　　）都道府県 （　　　　　）市区町村		
職業	会社員　経営者　公務員　教員・研究者　学生　主婦 自営業　無職　その他（　　　　　）		
業種	製造　インフラ関連　金融・保険　不動産・ゼネコン　商社・卸売 小売・外食・サービス　運輸　情報通信　マスコミ　教育 医療・福祉　公務　その他（　　　　　）		

DIAMOND 愛読者クラブ メルマガ無料登録はこちら▶

書籍をもっと楽しむための情報をいち早くお届けします。ぜひご登録ください！

- 「読みたい本」と出合える厳選記事のご紹介
- 「学びを体験するイベント」のご案内・割引情報
- 会員限定「特典・プレゼント」のお知らせ

①本書をお買い上げいただいた理由は？
（新聞や雑誌で知って・タイトルにひかれて・著者や内容に興味がある　など）

②本書についての感想、ご意見などをお聞かせください
（よかったところ、悪かったところ・タイトル・著者・カバーデザイン・価格　など）

③本書のなかで一番よかったところ、心に残ったひと言など

④最近読んで、よかった本・雑誌・記事・HPなどを教えてください

⑤「こんな本があったら絶対に買う」というものがありましたら（解決したい悩みや、解消したい問題など）

⑥あなたのご意見・ご感想を、広告などの書籍のPRに使用してもよろしいですか？

1　可　　　2　不可

※ご協力ありがとうございました。

【瞬読式勉強法】112847●3350

問題 A-6

ー

ホ　テ

パ　イ

ー　ム

ー

問題 A-7

イ

ン ズ

入 ッ

グ サ

り

問題 A-8

ぐ

ろ

ま

問題 A-9

の

ま　　　ね

も

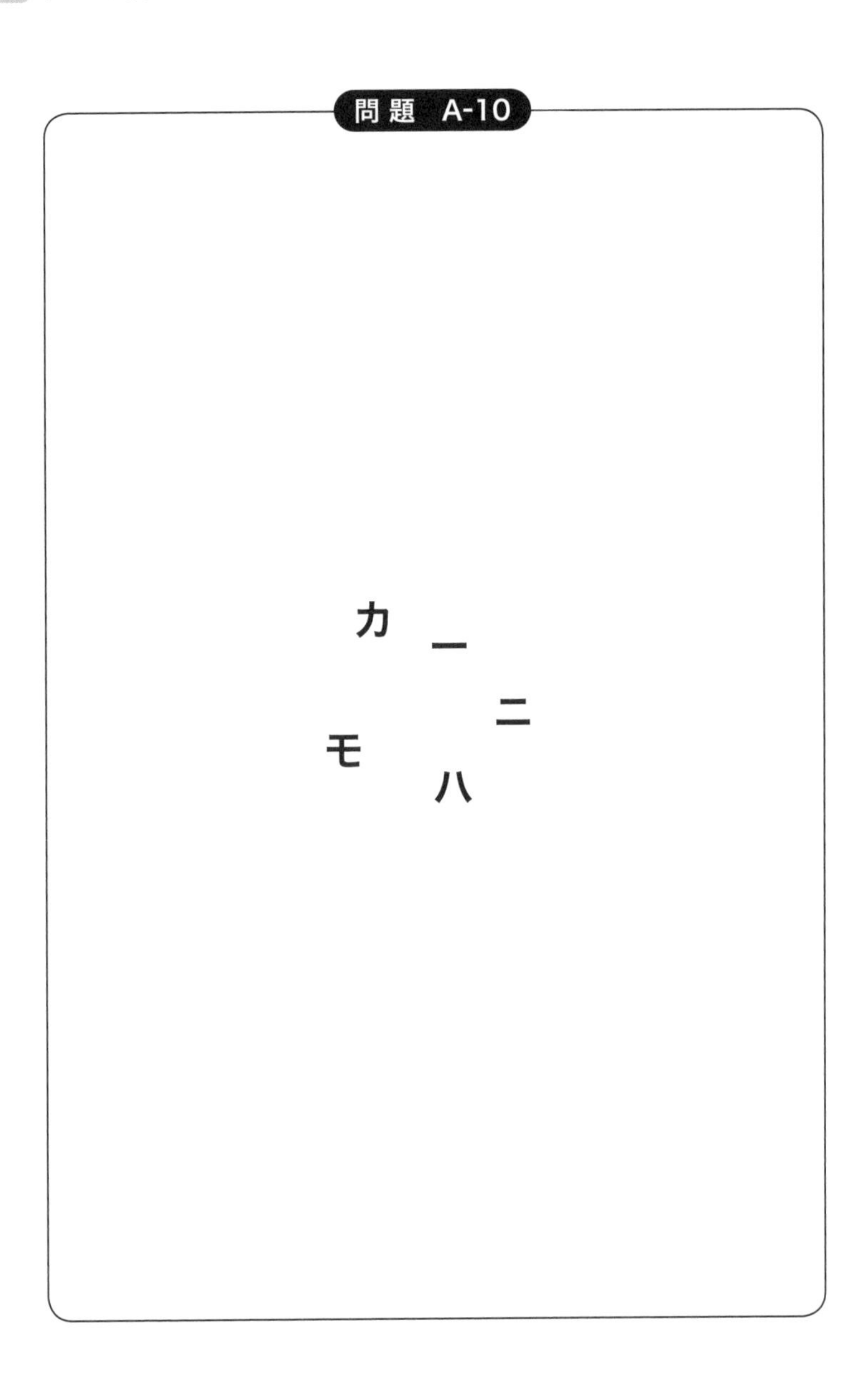
問題 A-10
カ
ー
ニ
モ
ハ

問題 A-11

ひ

ま　ん

ね

ん

つ

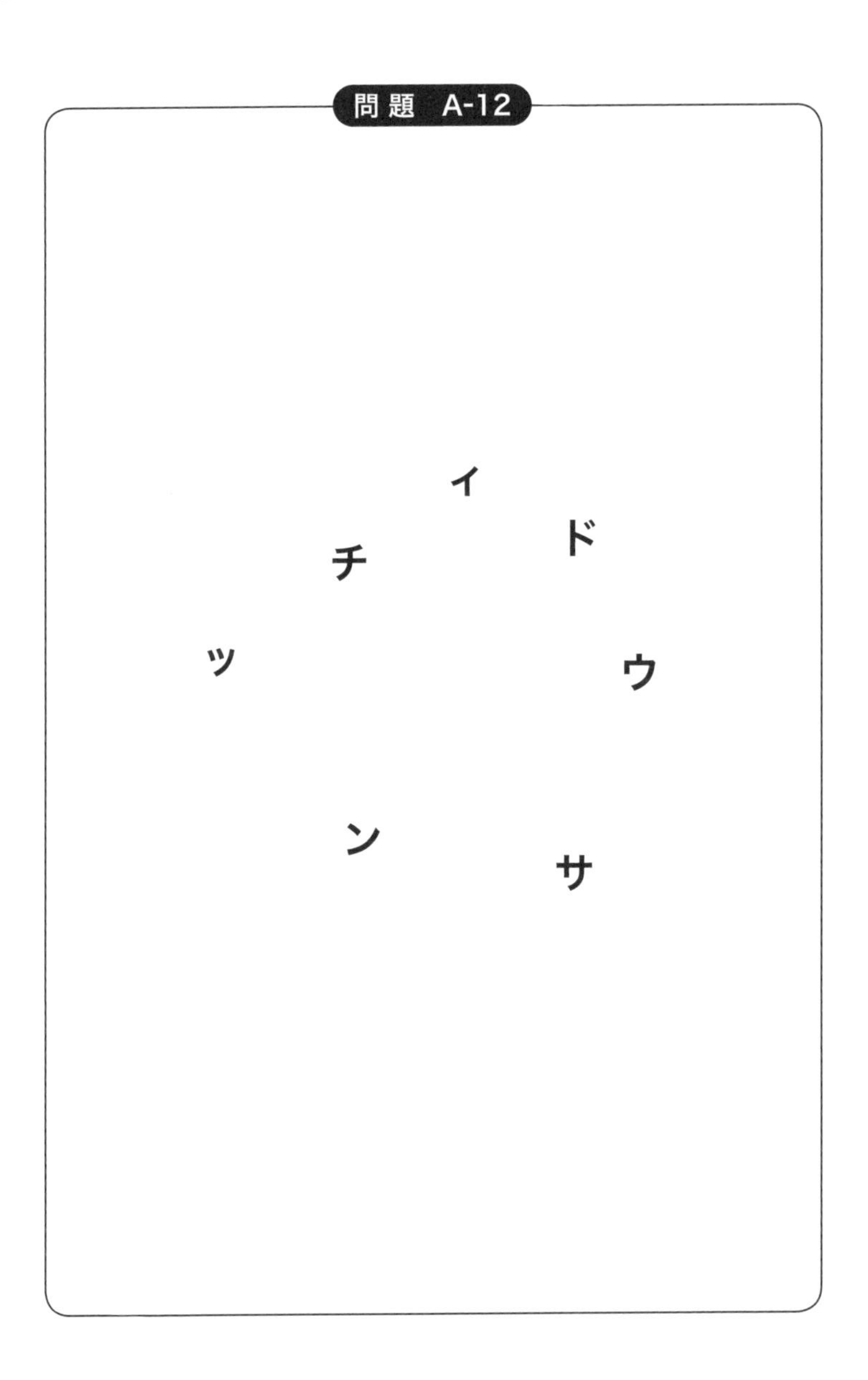
問題 A-12
イ
ド
チ
ツ
ウ
ン
サ

問題 A-13

ん

じ

か さ

な

は

さ い

問題 A-14

い　ち　い

す　え

ん

か

ゆ

う

問題 A-15

イ

ょ

リ

う

カ

う

と

ッ

ー

ス

き

記憶力が上がるトレーニング

ランダムに配置された文字列から単語を推測し、自分の言葉で言い換える

(例題)

士

富　　山

↓

日本一高い山
標高3776mの山
日本が誇る聖なる山
……

問題 B-1

ル

テ　　　　カ

問題 B-2
ン ネ
マ キ

問題 B-3

さ ち

も く

ら

問題 B-4

真　　　な

爛　　　　　　天

漫　　　孫

問題 B-5

末　じ

の　そ

大　年

う

問題 B-6

れ　　の

リ　　　　ン

て　　　　と

ゴ　　た

問題 B-7

日

く　は

の　明

風　吹

日　明

が

問題 B-8

い

思

出

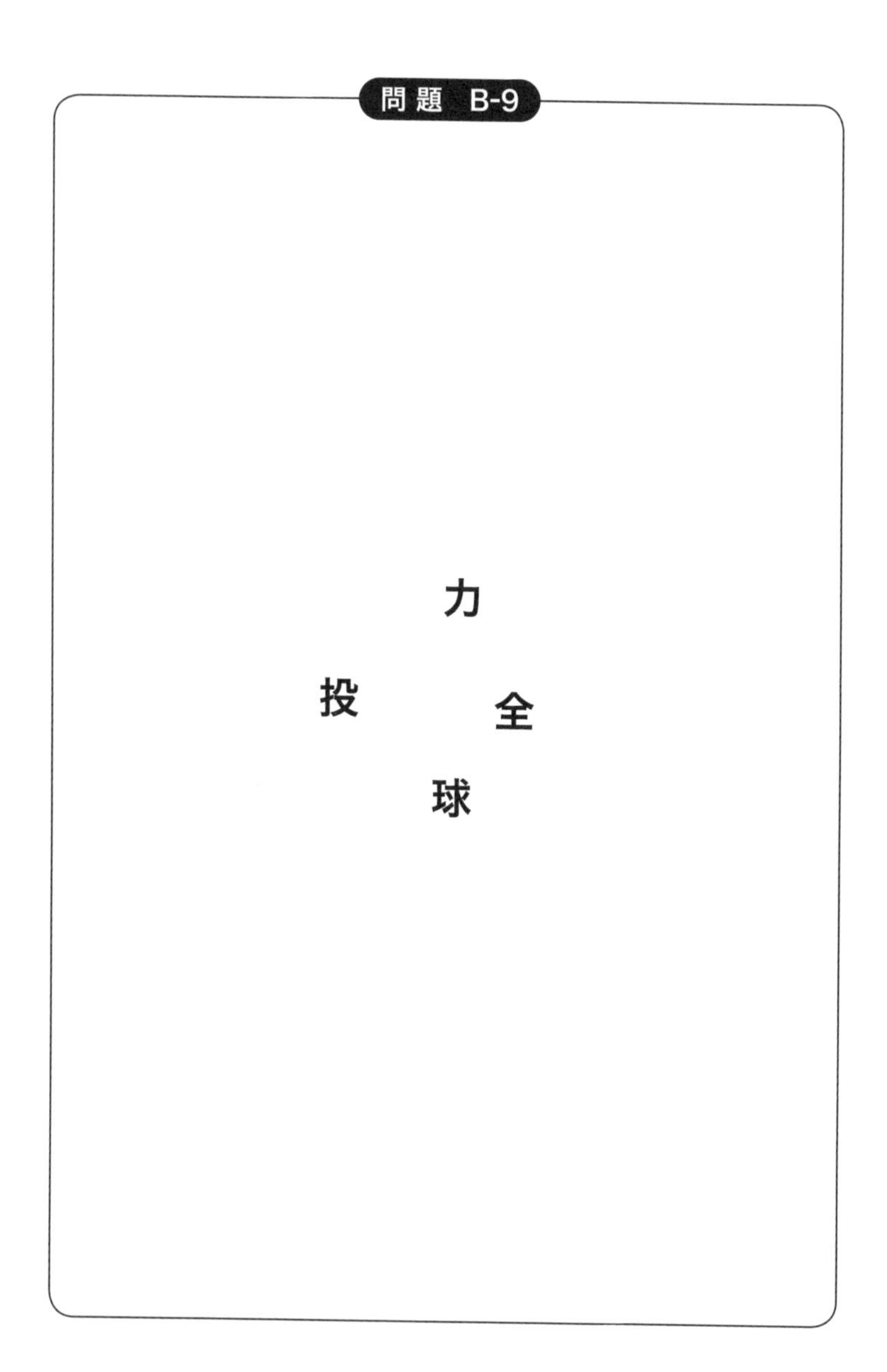
問題 B-9
力
投
全
球

問題 B-10

親
行
る
孝
す

問題 B-11

し

美　焼

い

け

タ

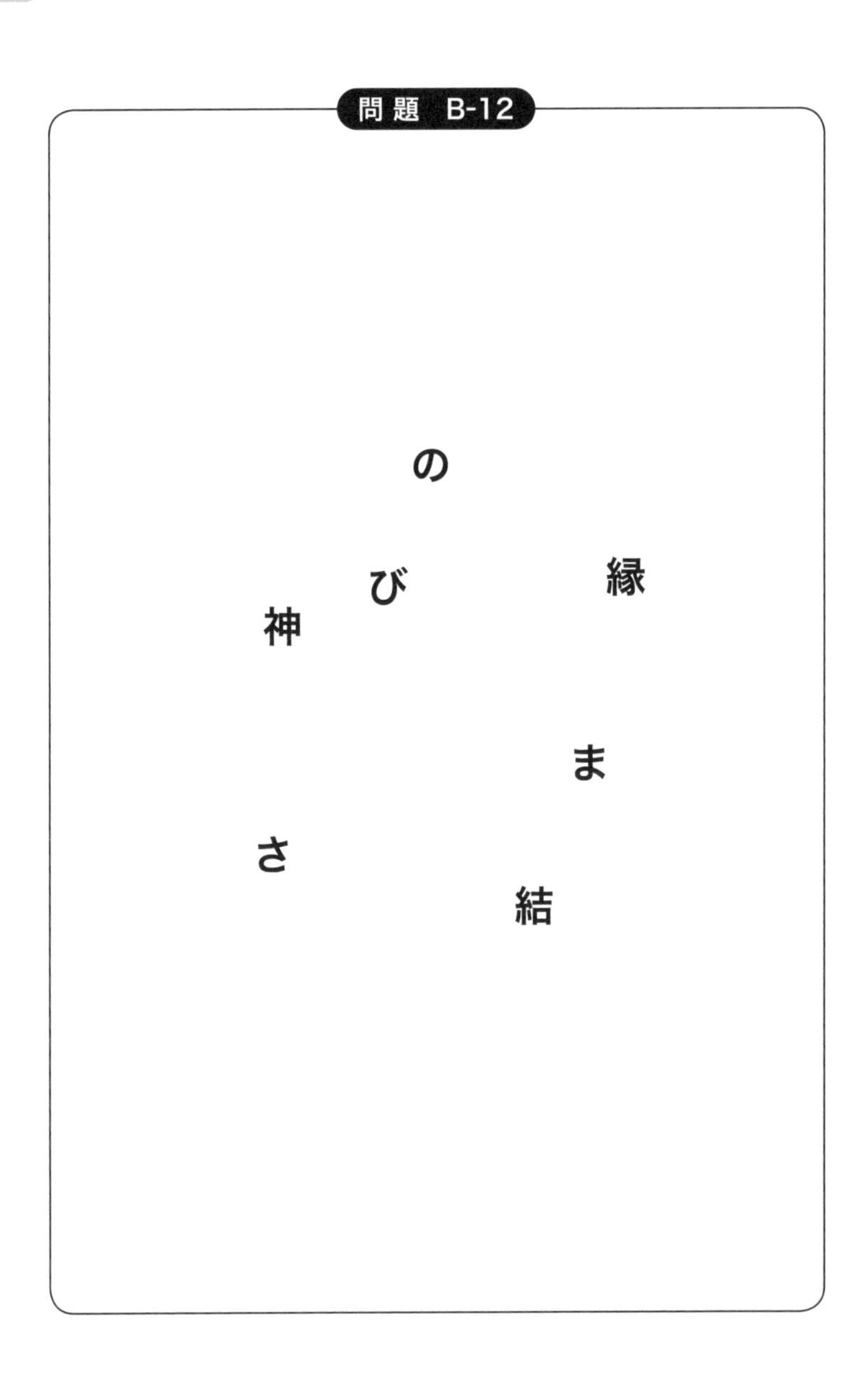
問題 B-12
の
び
縁
神
ま
さ
結

問題 B-13

起　徳

の

は

三

早

文

き

問題 B-14

マ

フ

カ

ル

な

ー

ラ

フ

ラ

問題 B-15

を

ヨ

シ ン

コ

る

え

デ

整 イ

ン

想像力が上がるトレーニング

4つの文を1文ずつ読み、その都度、情景をイメージする

(例題)

家族みんなで食卓を囲む
誕生日プレゼントをあげる
美容院で散髪をしてもらう
ぬいぐるみを抱いて寝る

問題 C-1

来年の手帳に目標を書く

出かけるときはマスクをする

あきらめない気持ちが大切だ

夢はきっとかなうと信じている

問題 C-2

毎朝6時にアラームをセットする

夜寝る前にストレッチをする

外国人に英語で道を教えてあげた

山道では車の運転に注意が必要だ

問題 C-3

お正月に家族で温泉に行く
公園の池でボートを漕ぐ
噂話は信じないことにしている
大安の日には宝くじを買う

問題 C-4

遠くに住む両親に電話をかける
赤いバラの花束をプレゼントする
今夜はいい夢が見られそうだ
鉄は熱いうちに打て

問題 C-5

朝起きて太陽の光を浴びる
あと1試合勝てば
夢の甲子園の切符が手に入る
久しぶりに会う友人の家で
手作り料理を振る舞う
明日は早起きして遠出する

問題 C-6

今日の晩ご飯はカレーライスだ
新幹線の中から
雄大な富士山が見えた
近所の家の庭には
柿の実がすずなりになっている
志望校に合格できた

問題 C-7

遊園地で記念撮影をする

子どもたちが泥だらけになって

サッカーをしている

運動会の対抗リレーで

私たちのクラスが優勝した

久しぶりに友人からメールが来た

問題 C-8

好きなアーティストのCDを聞く

引っ越した家の窓からは

遊園地の大きな花火が見える

ランドセルを背負った男の子が

バスを待つ列の最後尾に並んでいる

美術館で名作を鑑賞した

問題 C-9

自転車で買い物に出かけたら
雨が降ってきた

公園で賑やかな演奏が始まると
人々が集まってきた

誕生日には家族揃ってレストランで
食事をするのが我が家の習わしだ

母が宅配便で送ってくれた
中国茶はとてもいい香りがした

問題 C-10

部屋で育てたトマトを使って
自家製のトマトソースをつくった
リモートワークの日は
音楽をかけて集中している
駅前の商店街の福引で
国内旅行が当たった
休日の朝はジョギングをしてから
お気に入りのカフェに立ち寄る

問題 C-11

夜が明ける前に出発して
初日の出を拝みに行く
コーヒーミルを買って
毎朝挽きたての香りを楽しむ
まるまると太った三毛猫が
ヒーターの前に陣取っている
美容院で髪を切った日は
つい何度も鏡を見てしまう

問題 C-12

おじいちゃんにもらった
お年玉で本を買った
学校からの帰宅中に
ショートケーキを買った
近所の神社でおみくじを
引いたら大吉が出た
机の引き出しから
懐かしい写真が出てきた

問題 C-13

山頂から見た雲海の
美しさに感動する

長年の夢であったハワイ旅行で
スキューバダイビングに
初挑戦した

親友の結婚式で嬉しさの
あまり号泣してしまった

今日届いた郵便物の中に
首を長くして待っていた
コンサートチケットがあった

問題 C-14

道端で捨てられていた子犬は
その日から家族の一員になった
初めてのデートの日が決まり
ドキドキしながら
カレンダーの日付を消していく
川べりの道を犬と散歩して
夕焼けを見るのが日課だ
夏休みの思い出は
祖母の家で毎日縁側に座って
すいかを食べたことだ

問題 C-15

黄金色のいちょう並木の下を
友達とおしゃべりしながら歩く

山の中のキャンプ場で
おこした火を見つめていると
とても癒やされる

大好きなアーティストの
動画を見るのが至福のひと時だ

試験勉強に全力投球してきたので
合格の知らせを聞いたときの喜びは
何ものにも代えがたいと思った

集中力が上がるトレーニング

4つの文を1つの作業工程に並べ替えて、情景をイメージする

(例題)

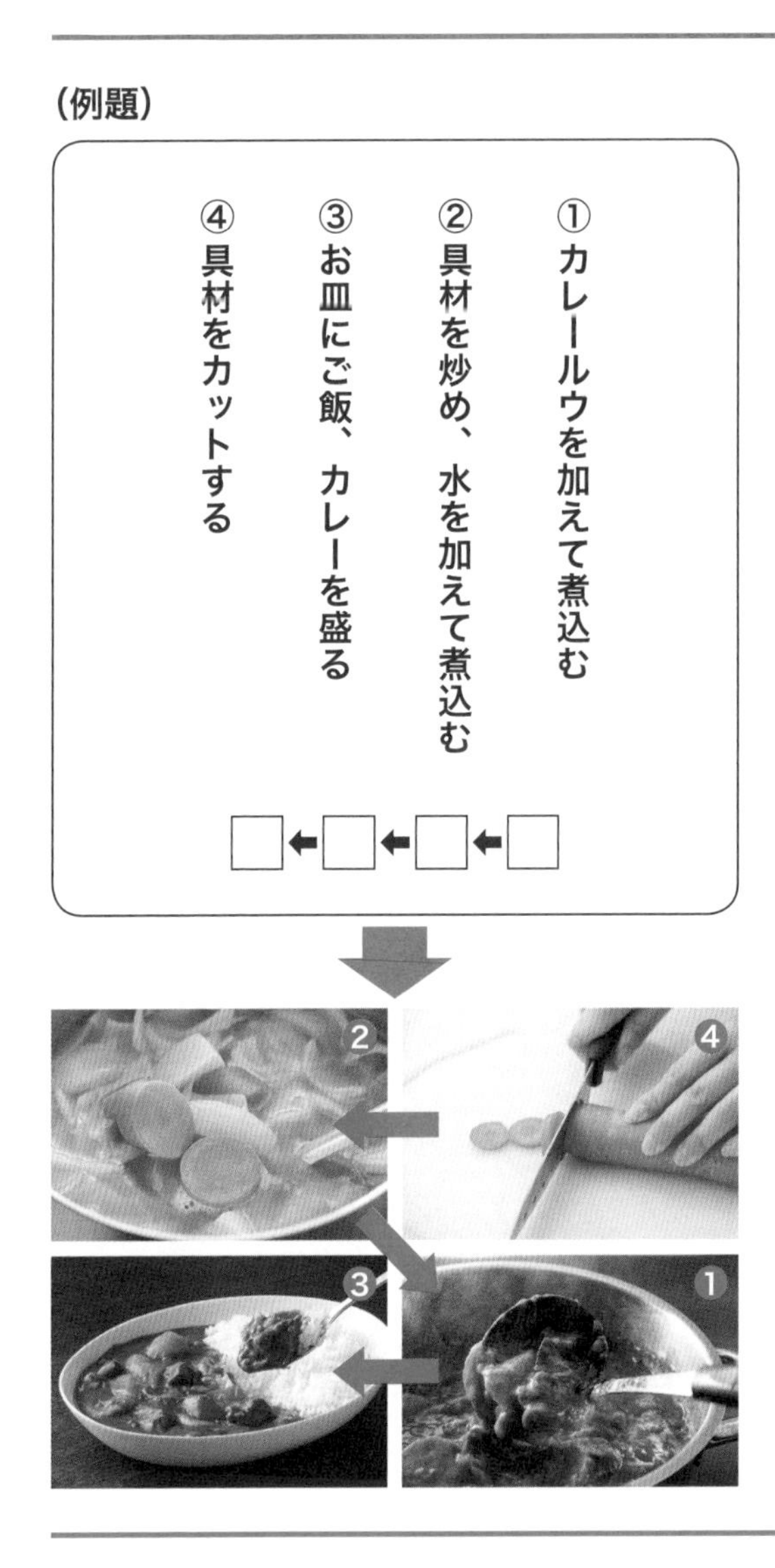

問題 D-1

①ヤカンに水を入れる

②コーヒーを飲む

③お湯を沸かす

④カップに注ぐ

問題 D-2

① 運ばれてきたパスタを食べる

② 店員さんを呼んで注文する

③ メニューを開いて読む

④ レストランに入って席に座る

□ ← □ ← □ ← □

問題 D-3

①改札を通る

②電車に乗る

③駅で切符を買う

④プラットホームに行く

問題 D-4

①髪をブローしてもらう

②美容院を予約する

③来店後、美容師さんと相談する

④シャンプーをしてもらい、髪を切る

□ ← □ ← □ ← □

問題 D-5

① 針にかかった魚をとる

② 魚が釣れやすいポイントを見極め釣り糸をたらして待つ

③ 魚がかかった感触があったら引き上げる

④ 釣り針に餌をつける

問題 D-6

① サイトにのっている動画の中から見たいものをクリックする

② インターネットに接続し動画サイトのページへ移動する

③ パソコンの電源を入れる

④ 動画を見る

□ ← □ ← □ ← □

問題 D-7

①
拝殿に向かって
二礼二拍手をする

②
感謝やお願いをして一礼する

③
神社の鳥居をくぐる

④
手水所で手を洗い
口をすすいで清める

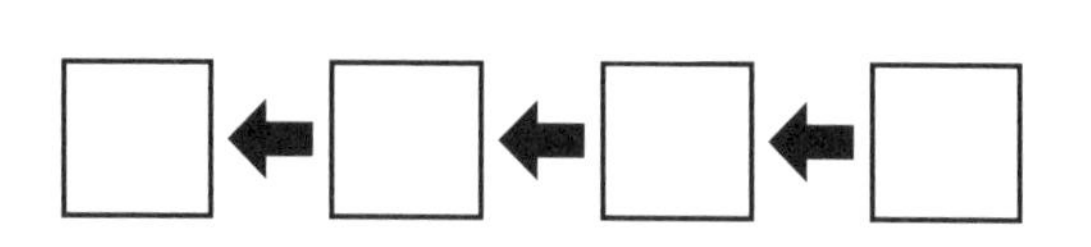

問題 D-8

①どんぶりに移して食べる

②沸騰後、インスタント麺を入れ卵や野菜などの具も入れる

③鍋に水を入れて火にかける

④所定の時間煮込み火を止める

□ ← □ ← □ ← □

問題 D-9

①
芽が出て
茎がどんどん伸びていく

②
じょうろなどを使って
適度な量の水をやる

③
つぼみがふくらんで
あさがおの花が咲く

④
植木鉢に土を入れ
あさがおの種をまく

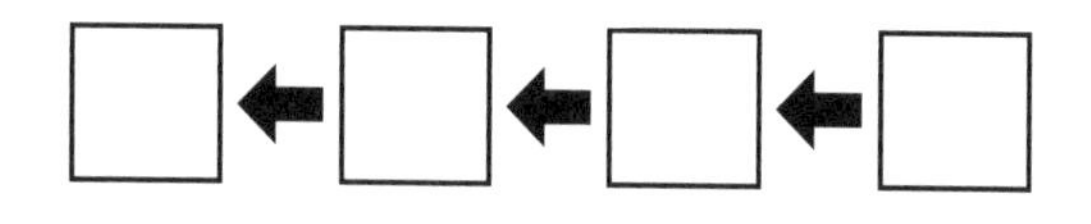

問題　D-10

①本を読み期限内に返却する

②図書館に行き本を選ぶ

③手続きがすんだら本を受け取る

④借りたい本をカウンターに持っていく

□←□←□←□

問題 D-11

①病院の受付で保険証と診察券を提示する

②薬を処方してもらい会計をすませる

③名前を呼ばれるまで待合室で待つ

④名前を呼ばれたら診察室に入り医師の診察を受ける

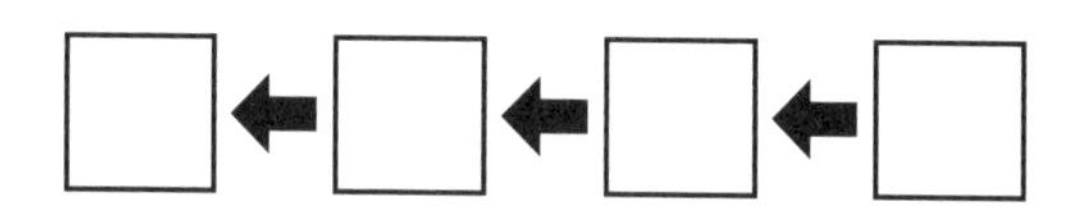

問題 D-12

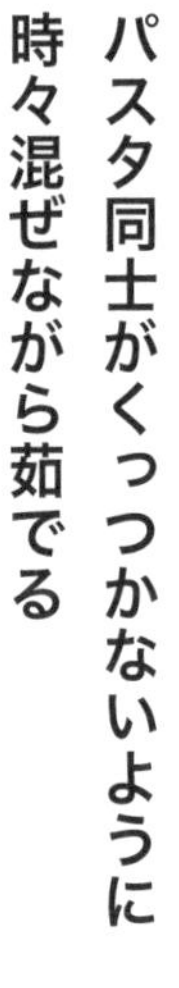

① パスタ同士がくっつかないように
時々混ぜながら茹でる

② タイマーが鳴ったら火を止め
ざるにあげてお湯を切る

③ 鍋に水を入れ沸騰したら
塩を入れる

④ パスタを投入し
タイマーで時間をはかる

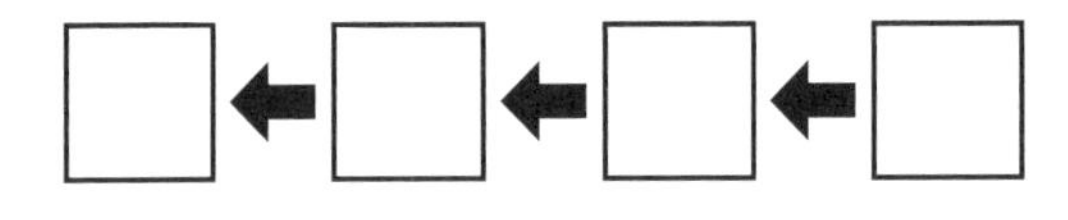

問題 D-13

桃太郎と名付けられ成長した男の子は

①腰にきびだんごをつけ
鬼退治に向かうことに

②みんなで力を合わせて鬼を成敗したあと
鬼からもらった宝物を持って帰る

鬼ヶ島に到着し

③途中で犬、猿、キジに出会い
きびだんごをあげてお供にする

④おばあさんが川で拾った大きな桃の中から
男の子が出てきた

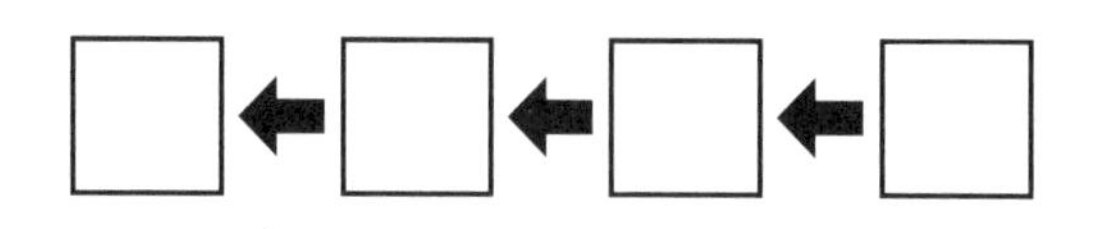

問題 D-14

①
首の部分を輪ゴムなどでしばり
サインペンで顔を描く

②
紙やティッシュペーパーなどを広げ
中央部分に頭を置き
包み込む

③
「明日晴れますように」と
願いながらひもで吊るして
就寝する

④
ティッシュペーパーを丸めて
坊主頭の部分をつくる

□ ← □ ← □ ← □

問題 D-15

① 旅行サイトやガイドブックを見て行きたい場所を決める

② 現地に移動し観光をしてからホテルにチェックインする

③ 旅先で撮った写真を見ながら帰路に着く

おみやげを買い

④ 予約をすませたら旅先の情報を仕入れておく

往復のチケットとホテルの

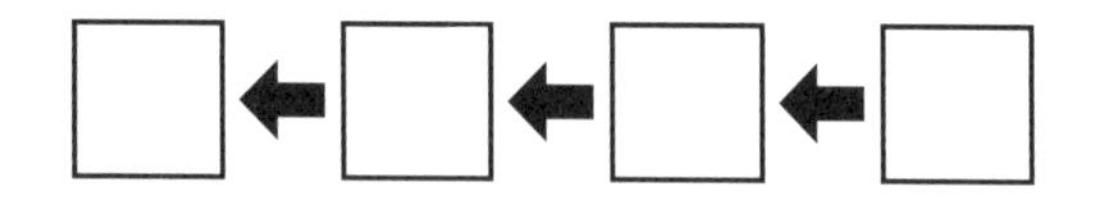

問題 D-16

①
枕元に靴下を置き
ふとんに入って寝る

②
朝起きると靴下の中に
ほしかったプレゼントが入っていて
とても嬉しい気持ちになる

③
クリスマスよりも前に
ほしいプレゼントを公言しておく

④
クリスマスツリーに飾り付けをし
家族みんなでチキンなどの
ごちそうを食べる

□ ← □ ← □ ← □

瞬発力が上がるトレーニング

ランダムに出てくる数式や図形の問題をすばやく答える

（例題）

四則演算（＋、－、×、÷）を使って、正解を示そう

4□4□4□4＝2

問題 E-1

1〜9の数字を
1回ずつ使って□をうめよう

問題 E-1

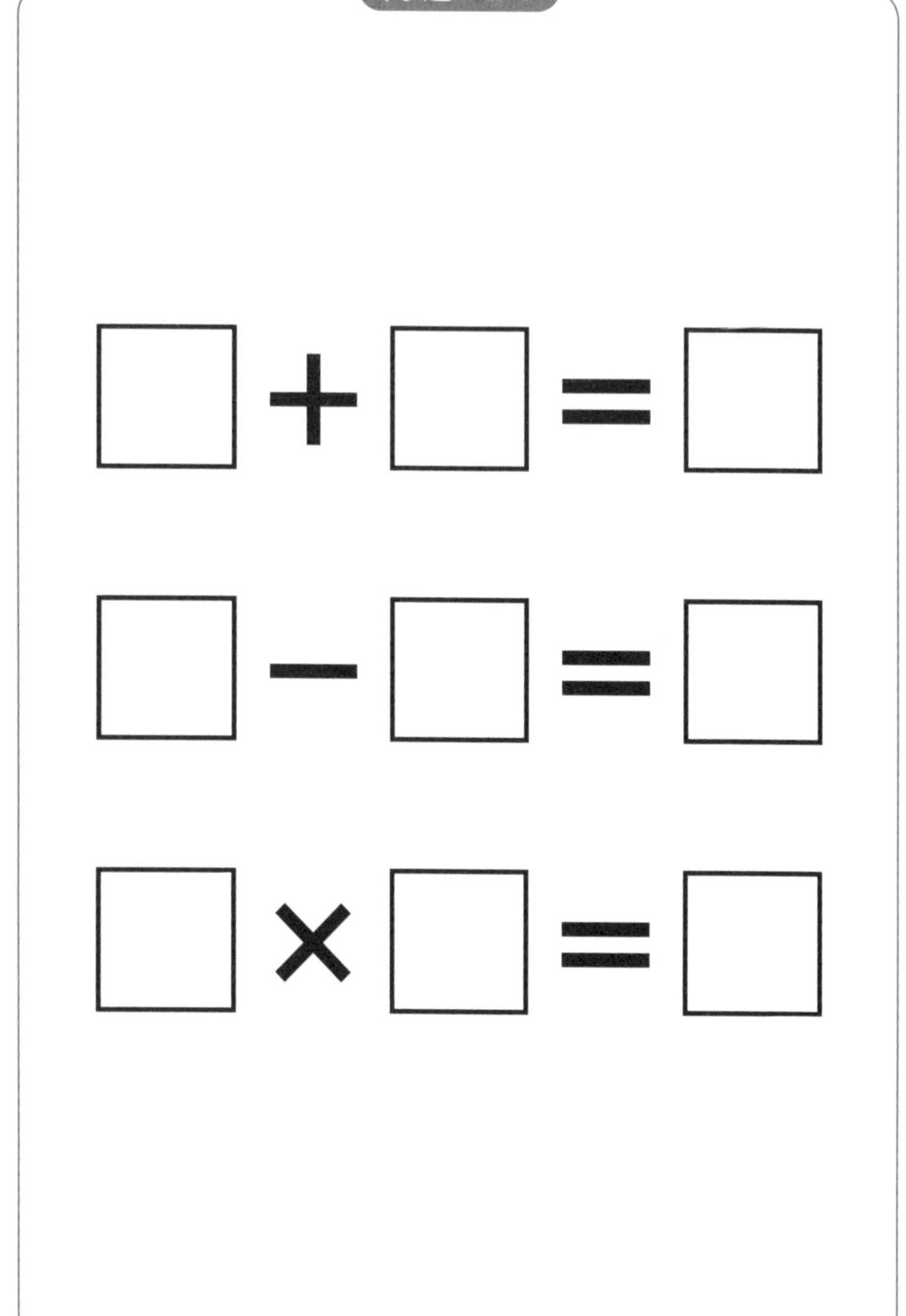

問題 E-2

星の中には三角形がいくつある?

問題 E-2

問題 E-3
1本または2本動かして
正しい式をつくろう

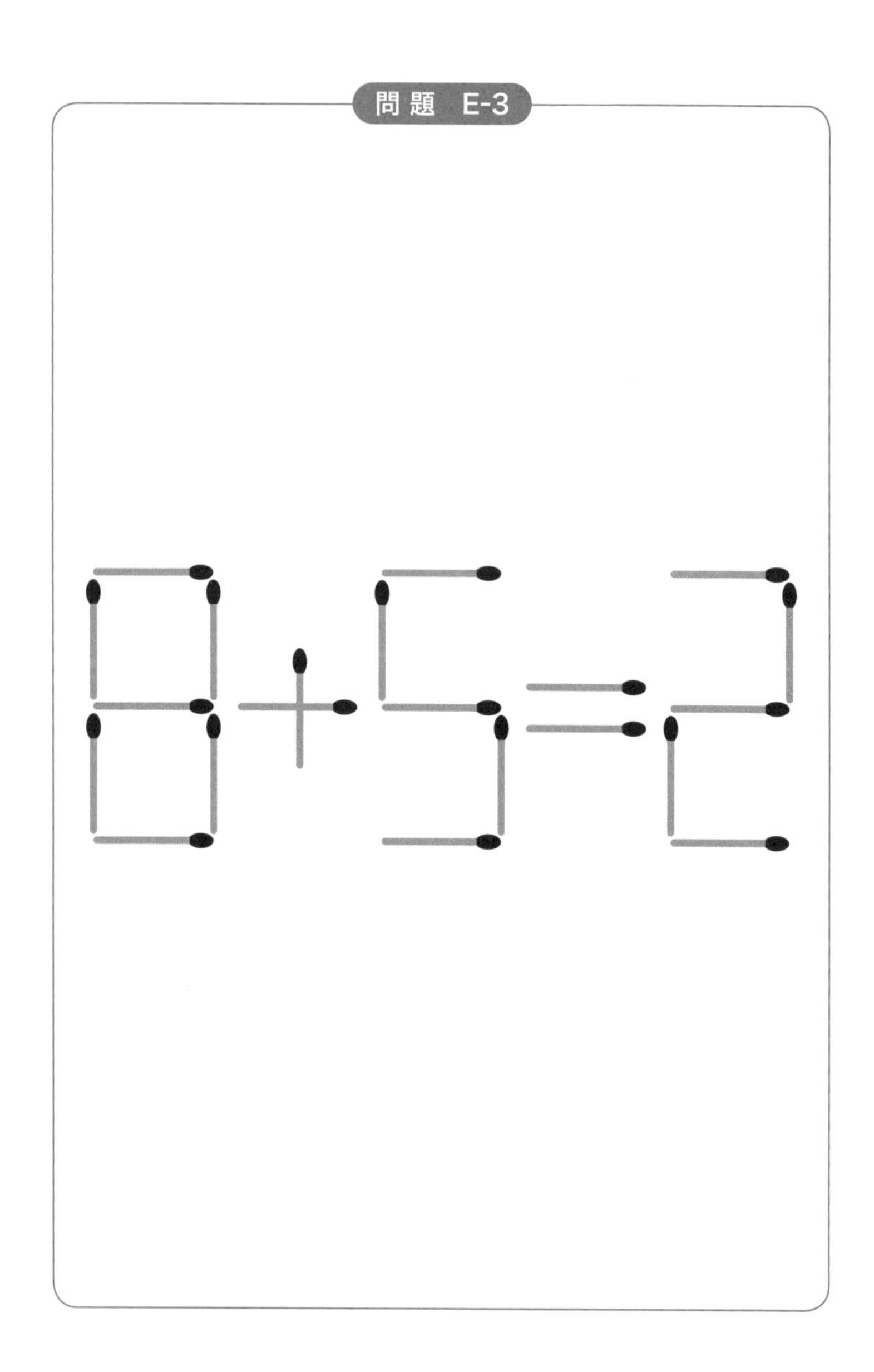
問題 E-3

問題 E-4

全部の箱のシールを間違えて貼りました。
どれか1つの箱から
1個だけ取り出して
すべての箱の中身を当てよう！

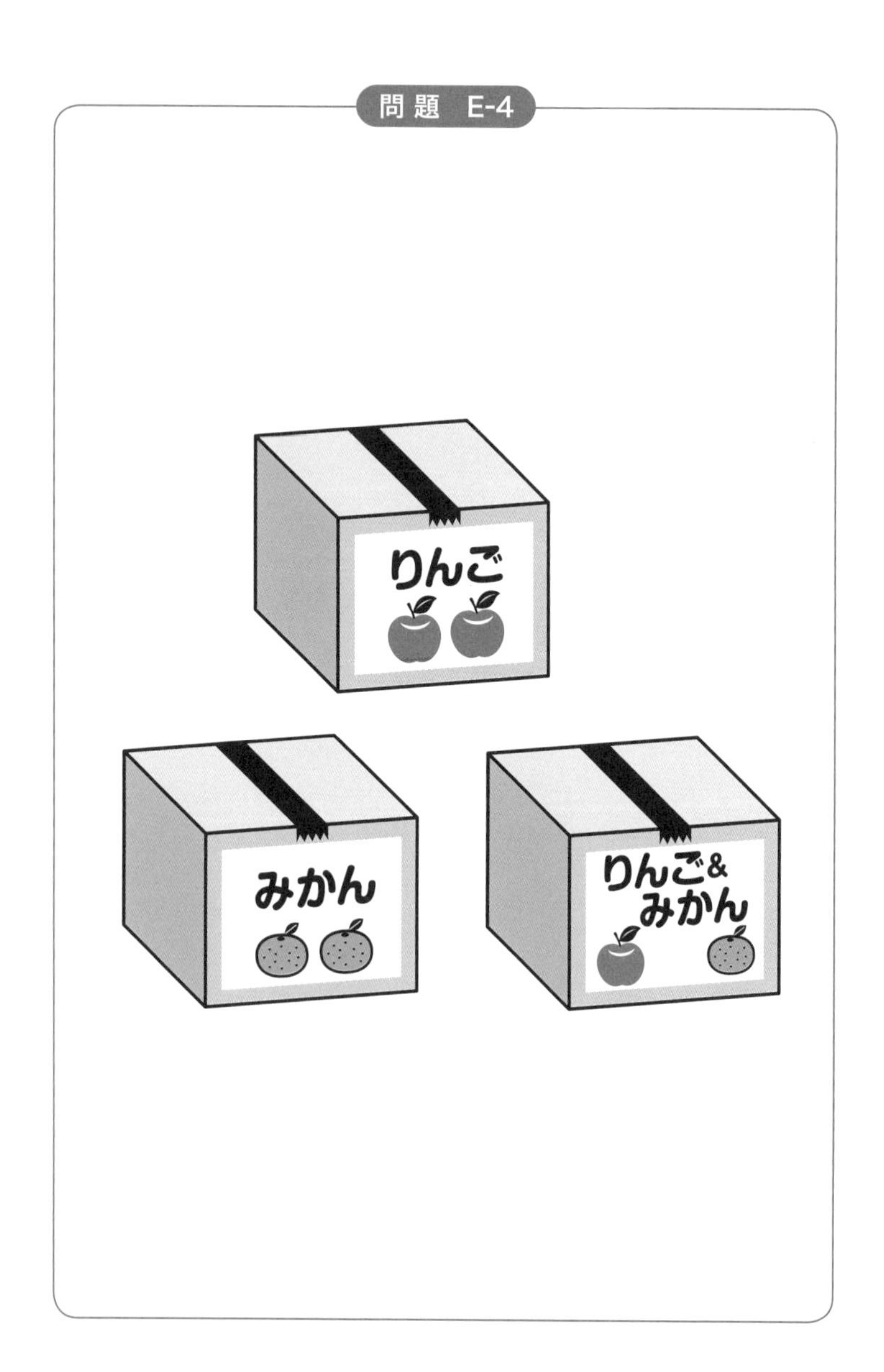
問題 E-4
りんご
みかん
りんご&
みかん

問題 E-5

パスタの茹で時間は7分。
2つの砂時計を使って
どうやって7分はかる？

問題 E-5

問題 E-6

長方形の中に
四角形はいくつある？

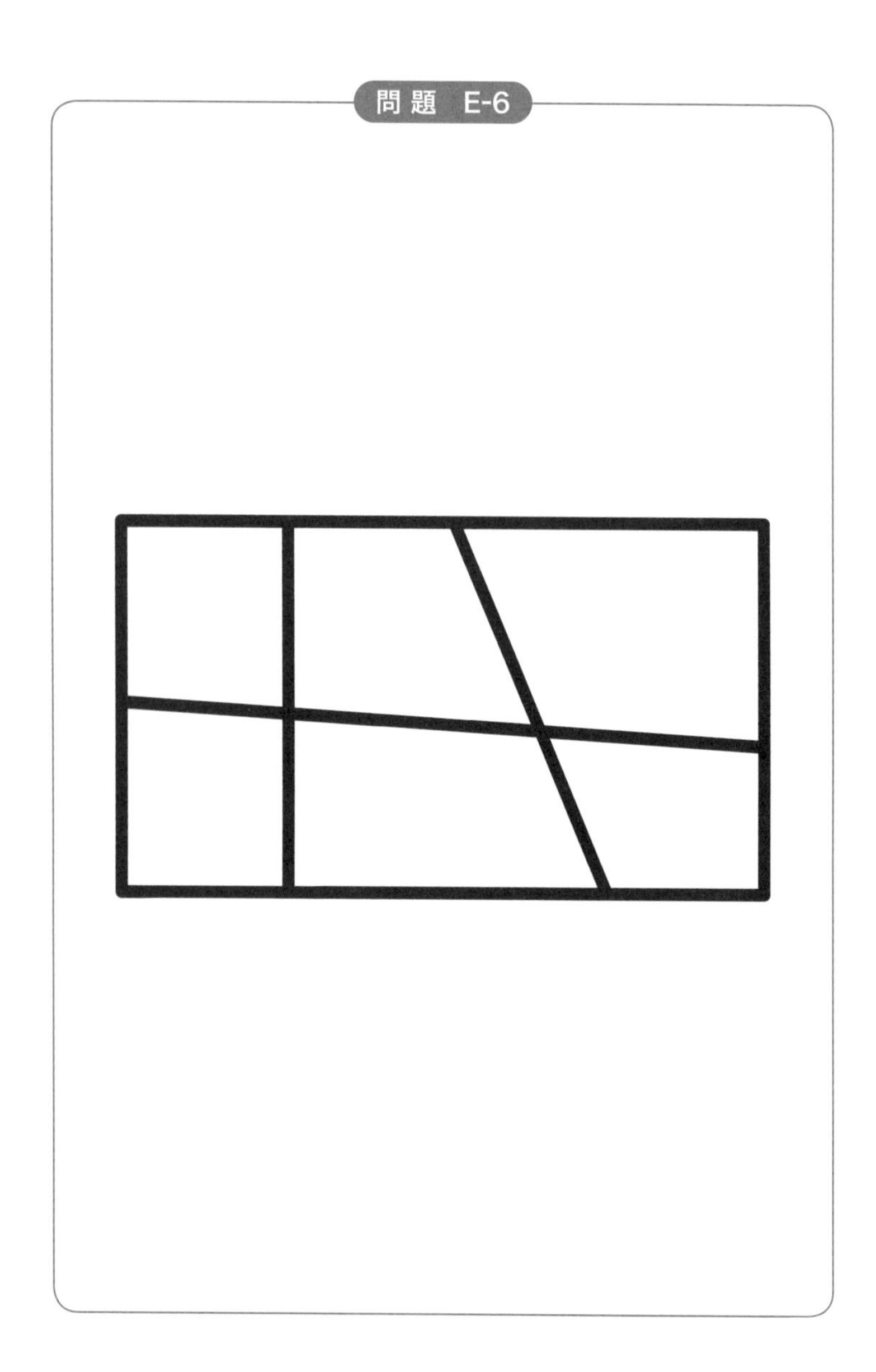
問題 E-6

問題 E-7

四則演算（＋、－、×、÷）を使って、
正解を示そう

問題 E-7

問題 E-8

○、□、△に
1〜8の数字を入れて
10にしよう

問題 E-8

○＋□＋△＝10

問題 E-9

次の図でAからBまで
→または↑を使って
最短で行くには何通りある？

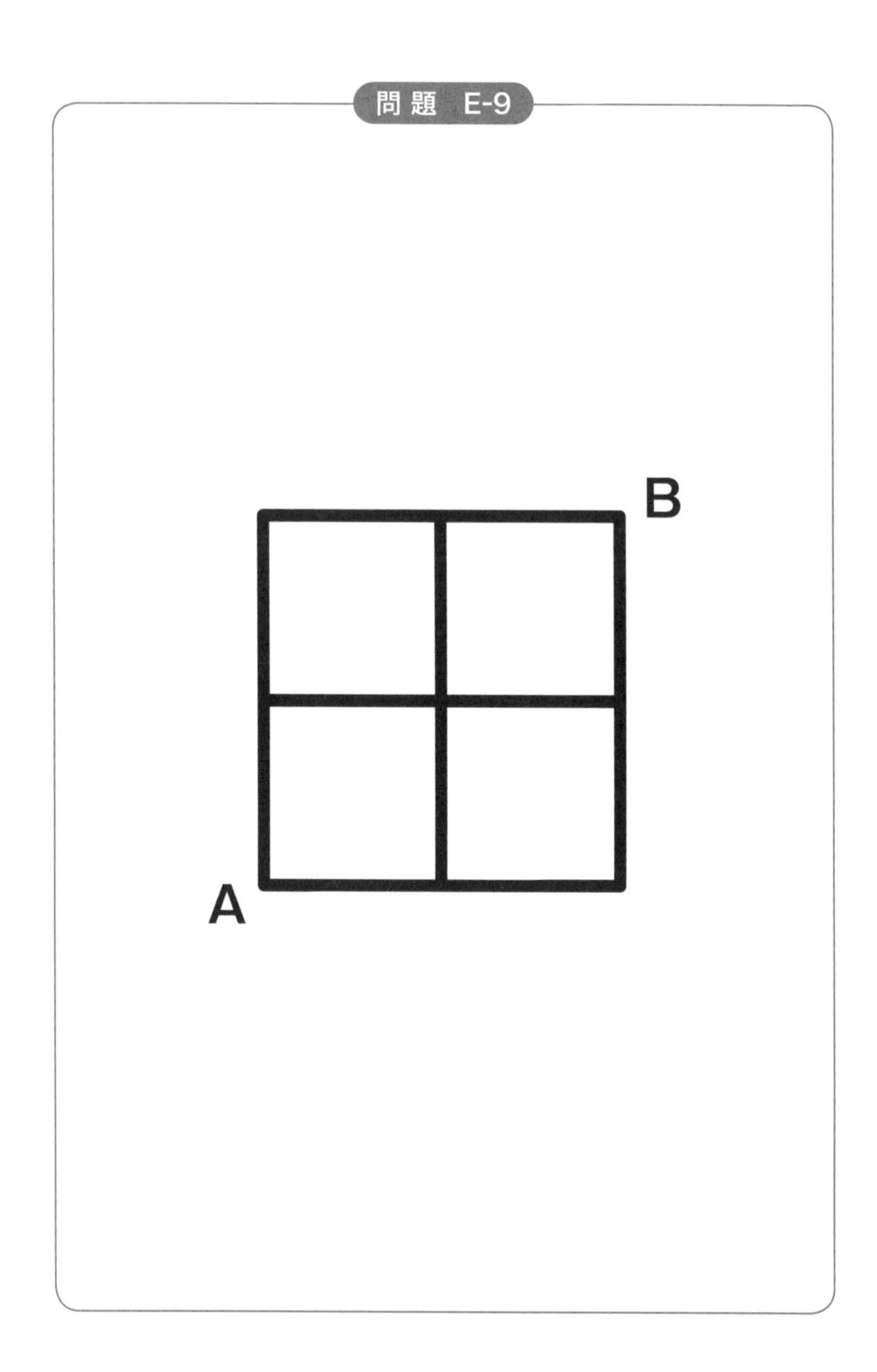
問題 E-9
B
A

問題 E-10

○の中に、
1、2、3、7、8、9のいずれかを入れて、
各辺の合計をそれぞれ20にしよう

問題 E-10

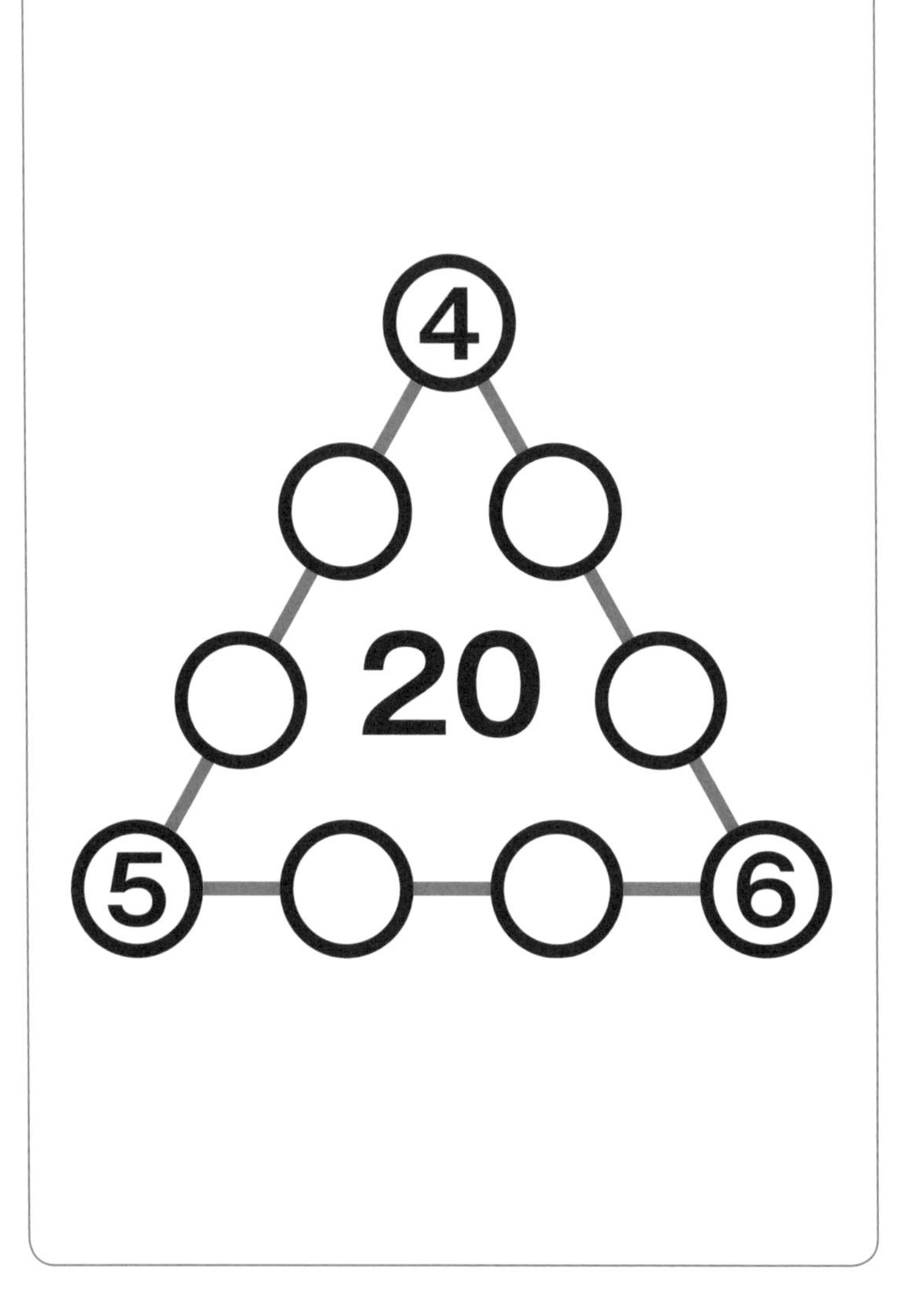

問題 E-11

200円の払い方は何通りある?

問題 E-11

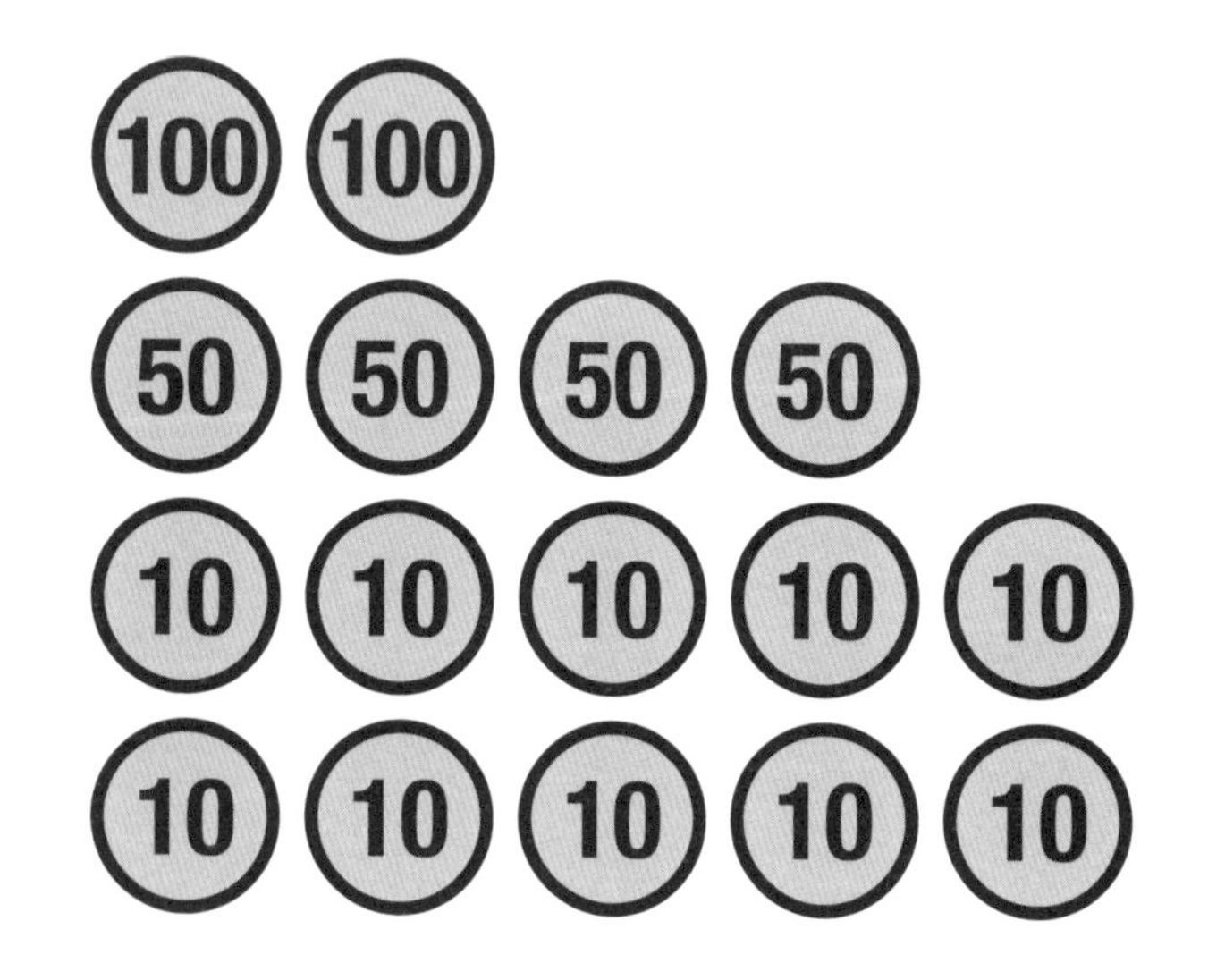

問題 E-12

上の数と下の数を足して
すべて15になるようにあみだくじをつくろう

問題 E-12

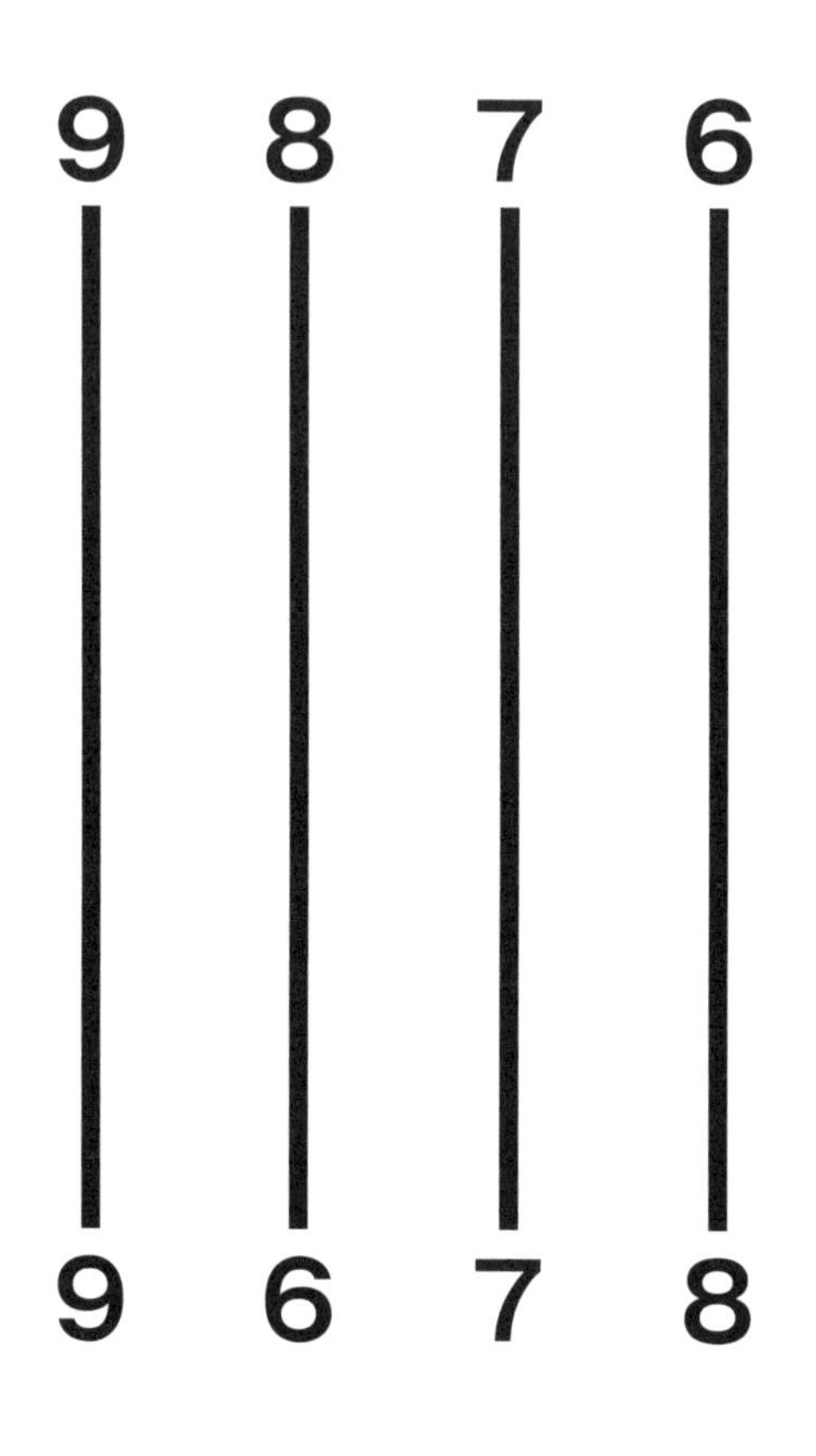
9 8 7 6
9 6 7 8

問題 E-13

上の段の数字が2つの和になるよう、
それぞれの○に1ケタの数字を入れよう。
ただし、同じ数字は1回しか使わない

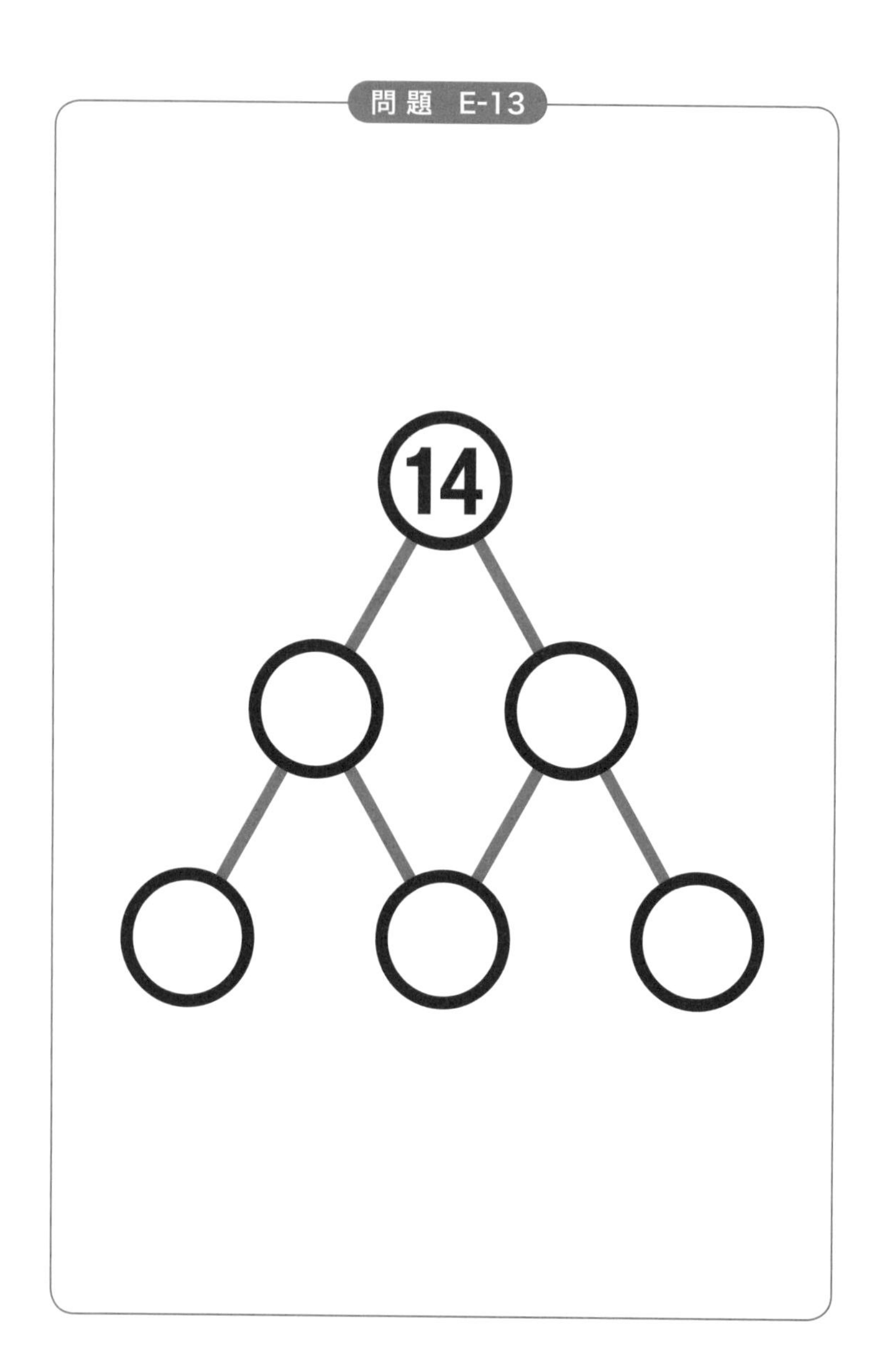
問題 E-13
14

問題 E-14

1〜9の数字を1回ずつ使って、
タテヨコナナメがすべて15になるよう
□をうめよう

問題 E-14

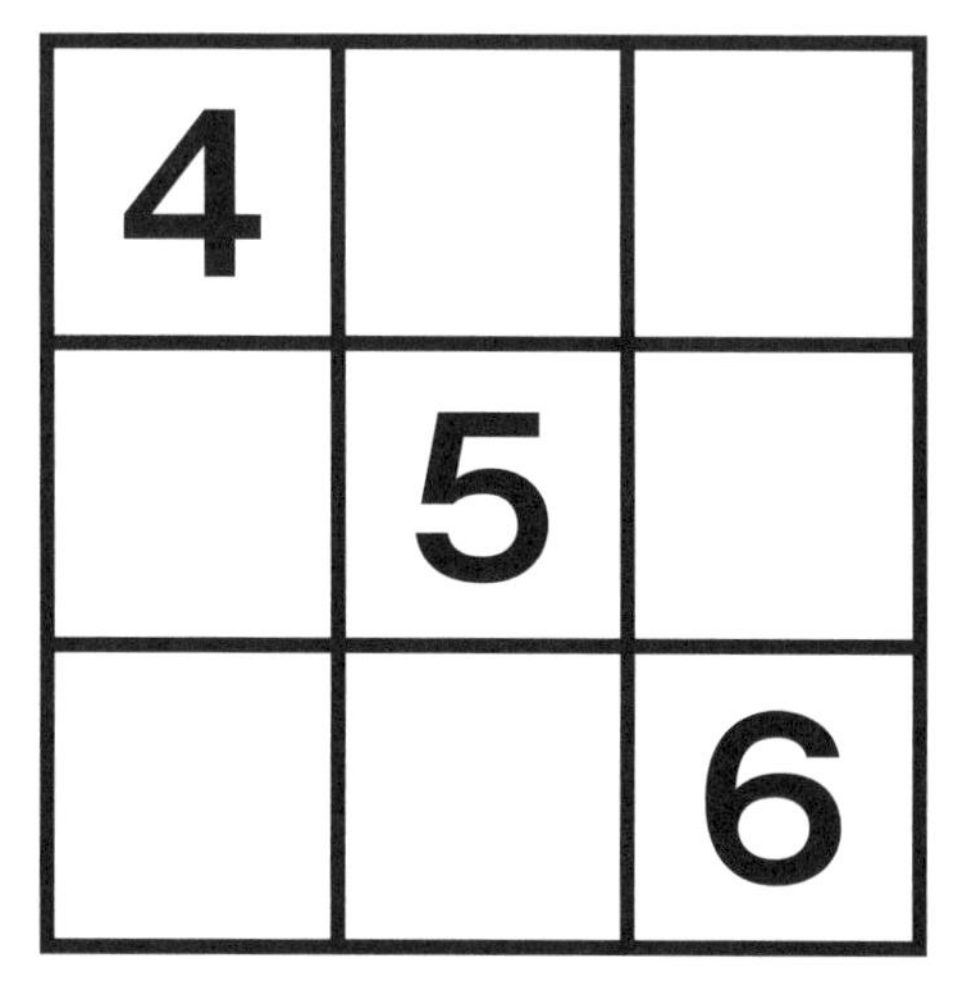

問題 E-15

一筆書きが
できる図形を選ぼう

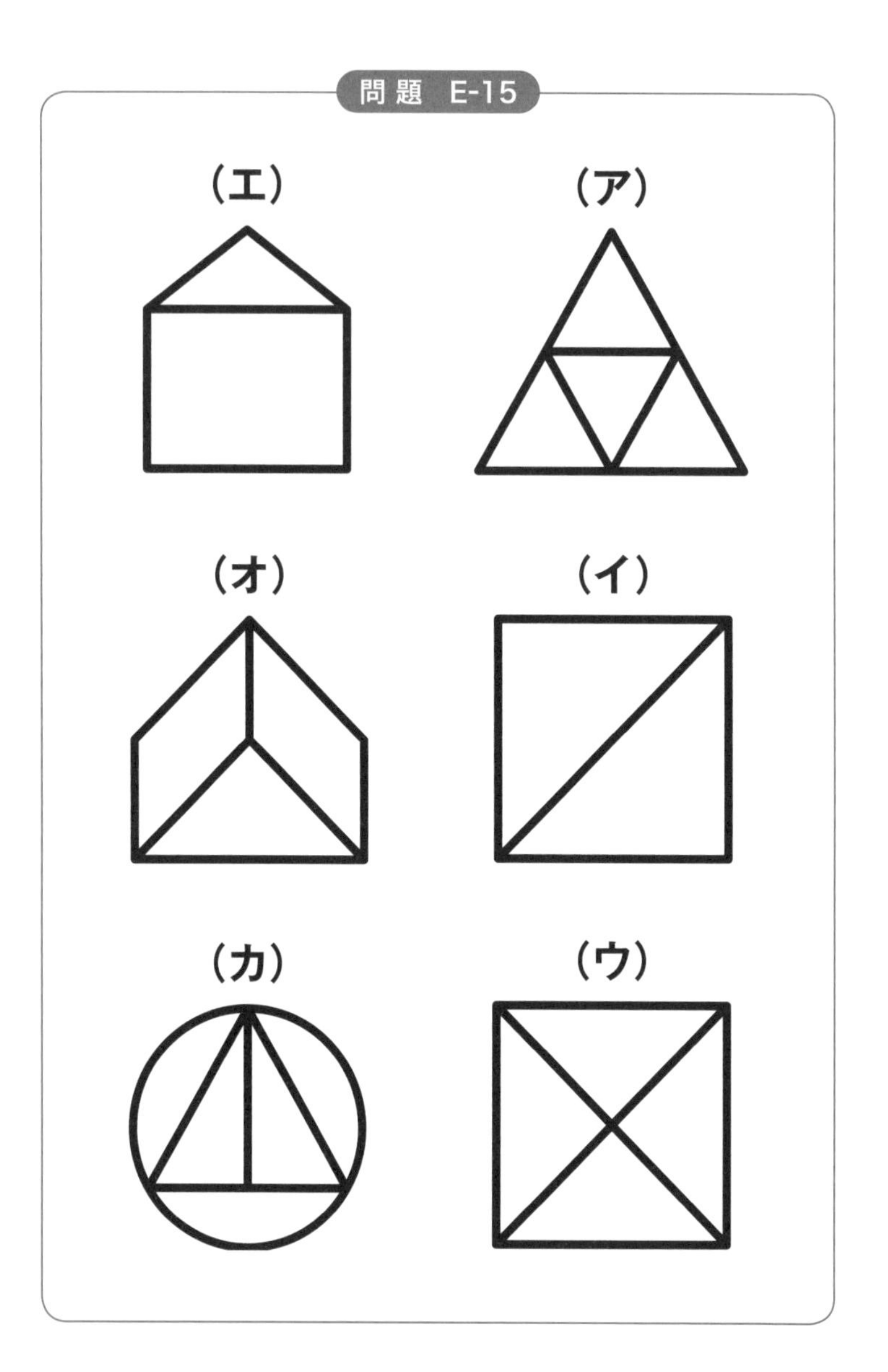
問題 E-15
(エ)
(ア)
(オ)
(イ)
(カ)
(ウ)

解答

判断力が上がるトレーニング

A-1 人気者
A-2 からあげ
A-3 ヨーグルト
A-4 ダイヤモンド
A-5 ジャングルジム
A-6 ホームパーティー
A-7 サイン入りグッズ
A-8 まぐろ
A-9 ものまね
A-10 ハーモニカ
A-11 まんねんひつ
A-12 サンドウィッチ
A-13 はなさかじいさん
A-14 かんちゅうすいえい
A-15 とうきょうスカイツリー

記憶力が上がるトレーニング

B-1 カルテ
【参考例】「患者の病状を記録するもの」「病気の記録」「お医者さんがパソコンで入力するもの」……

B-2 マネキン
【参考例】「アパレルショップで服の展示に使う」「人のかたちをした人形」「服を着せて商品の宣伝に使う」……

B-3 さくらもち
【参考例】「桜の葉が巻いてある和菓子」「ピンク色が特徴の餅菓子」「甘い和菓子」……

B-4 天真爛漫な孫
【参考例】「笑顔がかわいらしい幼児」「やんちゃな男の子」「かわいい生き物」……

B-5 年末の大そうじ
【参考例】「バケツと雑巾で床の拭き掃除」「すっきりした気持ちで新年を迎えられるもの」「年越し前の義務」……

B-6 とれたてのリンゴ
【参考例】「艶々と赤く輝いているりんご」「木からもぎ取ったりんご」「新鮮で歯触りのよい果物」……

B-7 明日は明日の風が吹く
【参考例】「細かいことを気にせず、なるようになるさの精神」「今日は嫌な事あったけど、明日は違うといいな」「なすがままに」……

B-8 思い出
【参考例】「楽しかった遠足」「大切なもの」「いいことも悪いことも」……

B-9 全力投球
【参考例】「高校野球のマウンド上の投手」「せいいっぱい頑張る」「全身全霊をかける」……

B-10 親孝行する
【参考例】「両親を旅行に連れて行く」「できるだけ気遣うこと」「親を大切にしよう!」……

B-11 美しい夕焼け
【参考例】「真っ赤に染まった海と水平線に沈む太陽」「太陽が沈む直前のきれいな空」「真っ赤な太陽が沈む」……

B-12 縁結びの神様
【参考例】「良い縁を運んでくれる」「とてもありがたい神様」「出雲大社」……

B-13 早起きは三文の徳
【参考例】「朝早く起きるといいことがある」「夏休みのラジオ体操」「いいことだらけの朝」……

B-14 カラフルなマフラー
【参考例】「5色くらいのキレイな色が使われた防寒用に首に巻くもの」「グラデーションのニットマフラー」「おしゃれな首元」……

B-15 コンディションを整える
【参考例】「バランスのとれた食事と十分な睡眠」「体や精神を良い状態に保つこと」「体調管理ばっちり」……

想像力が上がるトレーニング

問題Cは特定の決まった解答はありません。自由にイメージしてください。より具体的なイメージを自分なりに、描けるように精度を上げていくことが重要です。

集中力が上がるトレーニング

D-1	①→③→④→②	D-2	④→③→②→①
D-3	③→①→④→②	D-4	②→③→④→①
D-5	④→②→③→①	D-6	③→②→①→④
D-7	③→④→①→②	D-8	③→②→④→①
D-9	④→②→①→③	D-10	②→④→③→①
D-11	①→③→④→②	D-12	③→④→①→②
D-13	④→①→③→②	D-14	④→②→①→③
D-15	①→④→②→③	D-16	③→④→①→②

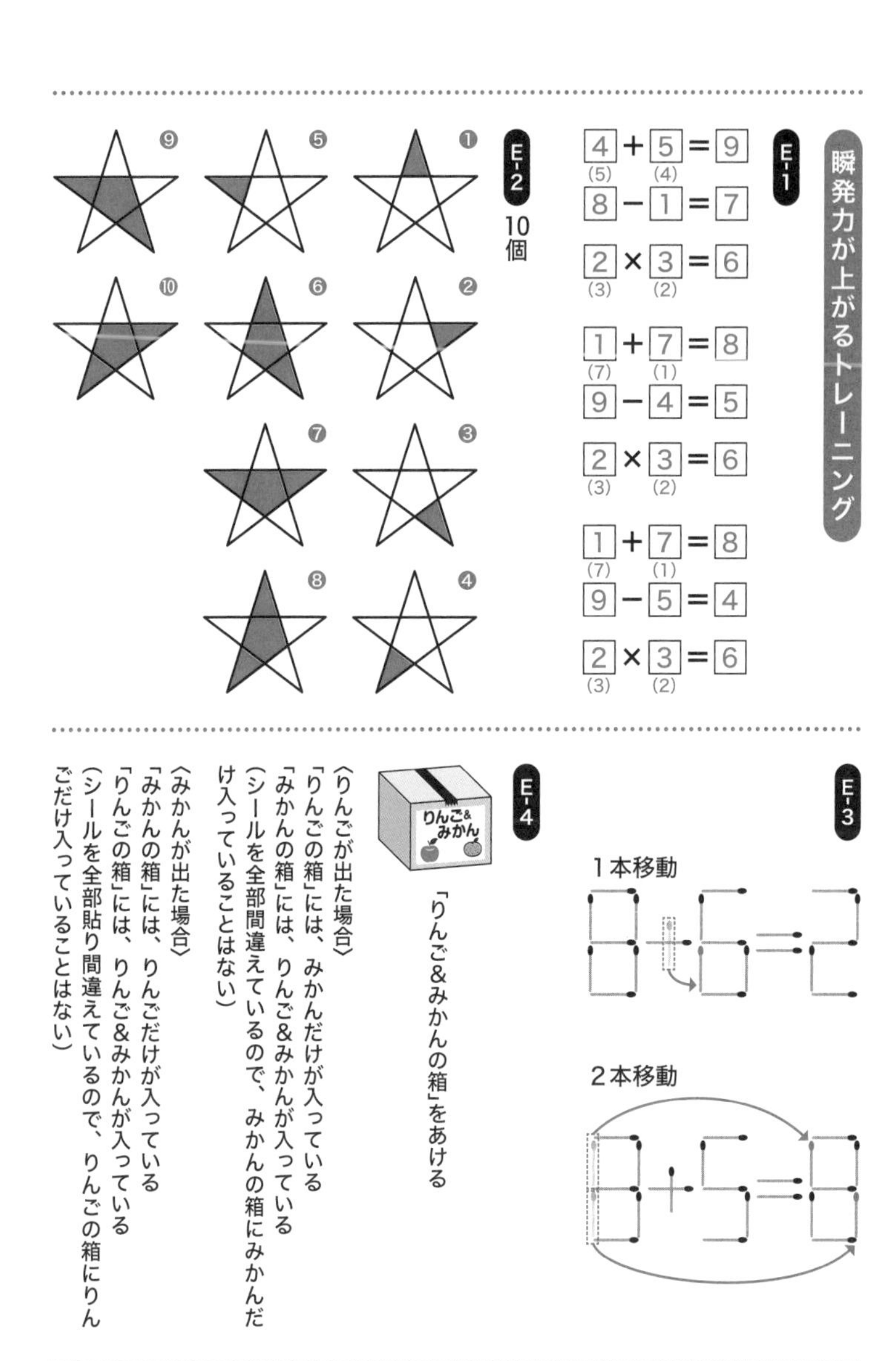
瞬発力が上がるトレーニング
E-1
4 + 5 = 9
(5) (4)
8 − 1 = 7
2 × 3 = 6
(3) (2)
1 + 7 = 8
(7) (1)
9 − 4 = 5
2 × 3 = 6
(3) (2)
1 + 7 = 8
(7) (1)
9 − 5 = 4
2 × 3 = 6
(3) (2)
E-2
10個
❶
❷
❸
❹
❺
❻
❼
❽
❾
❿
E-3
1本移動
2本移動
E-4
りんご& みかん
「りんご&みかんの箱」をあける
〈りんごが出た場合〉
「りんごの箱」には、みかんだけが入っている
「みかんの箱」には、りんご&みかんが入っている
(シールを全部間違えているので、みかんの箱にみかんだけ入っていることはない)
〈みかんが出た場合〉
「みかんの箱」には、りんごだけが入っている
「りんごの箱」には、りんご&みかんが入っている
(シールを全部貼り間違えているので、りんごの箱にりんごだけ入っていることはない)

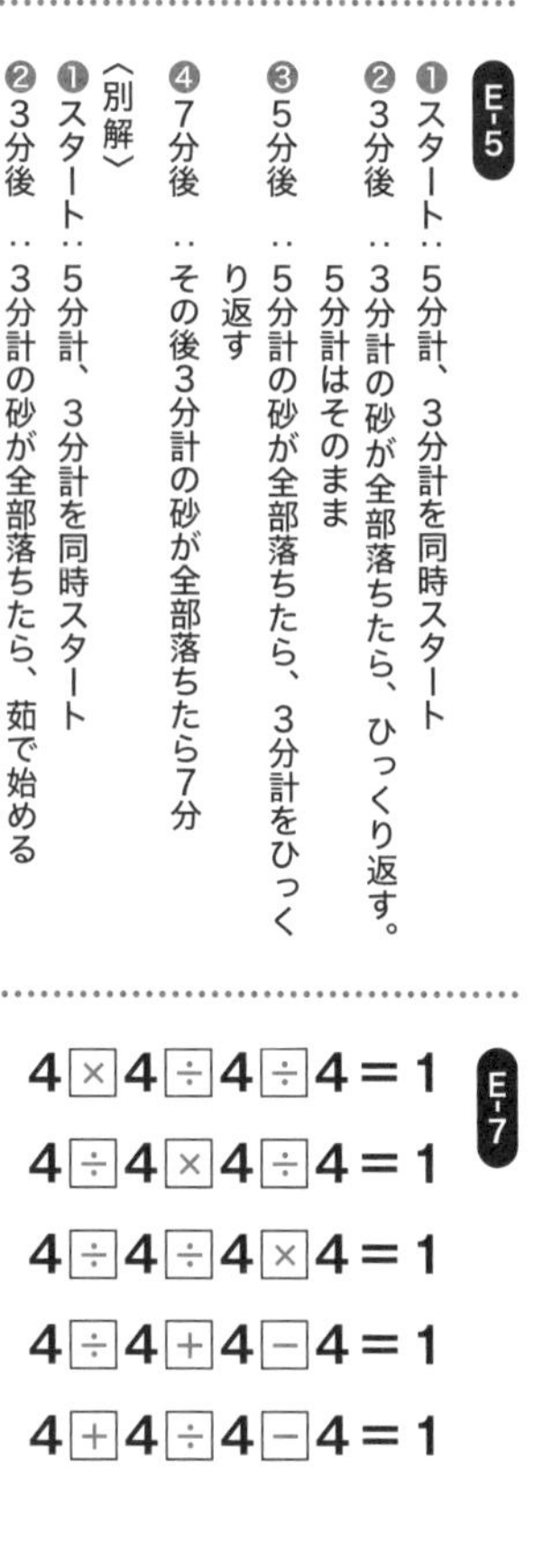

E-5

❶スタート：5分計、3分計を同時スタート
❷3分後　：3分計の砂が全部落ちたら、ひっくり返す。5分計はそのまま
❸5分後　：5分計の砂が全部落ちたら、3分計をひっくり返す
❹7分後　：その後3分計の砂が全部落ちたら7分

〈別解〉
❶スタート：5分計、3分計を同時スタート
❷3分後　：3分計の砂が全部落ちたら、茹で始める
❸5分後　：5分計の砂が全部落ちたら、ひっくり返す
❹10分後　：5分計の砂が全部落ちたら7分

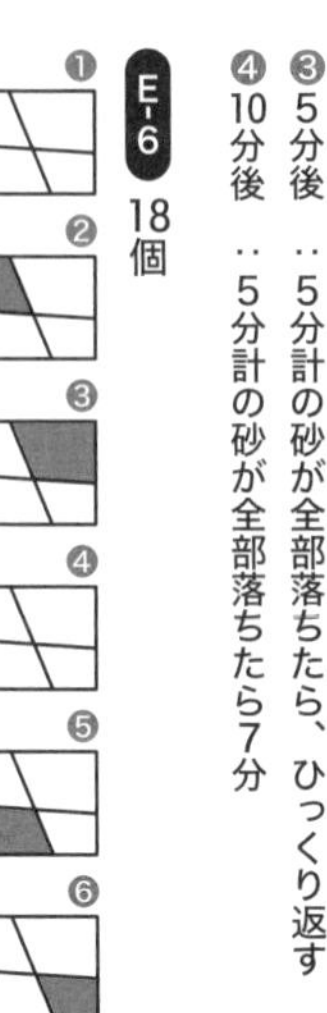

E-6

18個

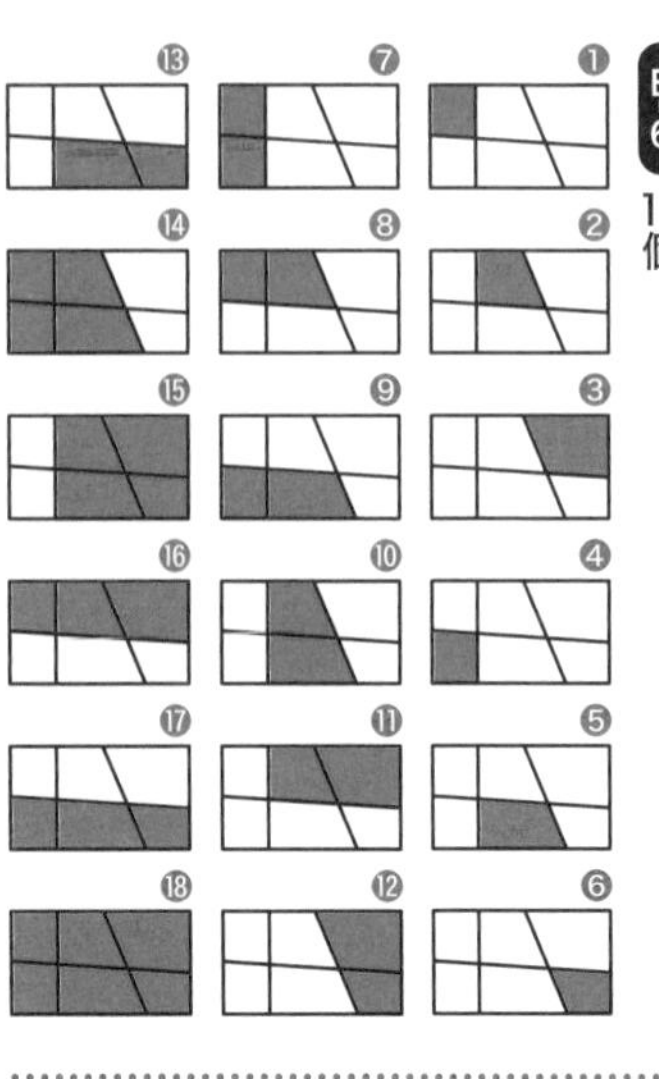

E-7

4［×］4［÷］4［÷］4＝1
4［÷］4［×］4［÷］4＝1
4［÷］4［÷］4［×］4＝1
4［÷］4［＋］4［－］4＝1
4［＋］4［÷］4［－］4＝1

E-8

①＋［1］＋△8＝10
①＋［2］＋△7＝10
①＋［3］＋△6＝10
①＋［4］＋△5＝10
②＋［2］＋△6＝10
②＋［3］＋△5＝10
②＋［4］＋△4＝10
③＋［3］＋△4＝10

○、□、△内の数字を入れ替えた形も解答になる

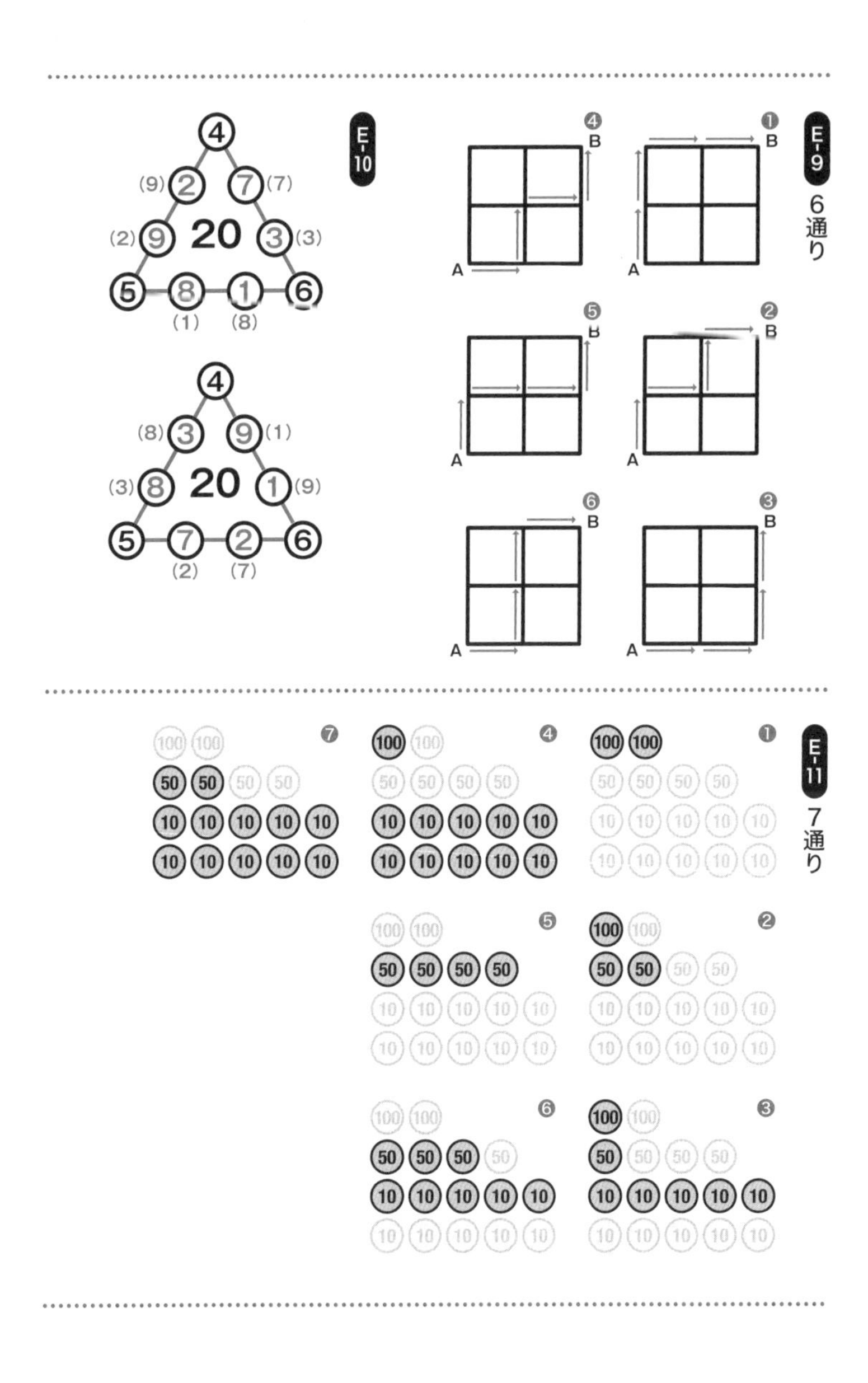
E-10
4
(9) 2
7 (7)
(2) 9
20
3 (3)
5
8
1
6
(1)
(8)
4
(8) 3
9 (1)
(3) 8
20
1 (9)
5
7
2
6
(2)
(7)
E-9
6通り
❶
❷
❸
❹
❺
❻
A
B
E-11
7通り
❶
❷
❸
❹
❺
❻
❼
100
50
10

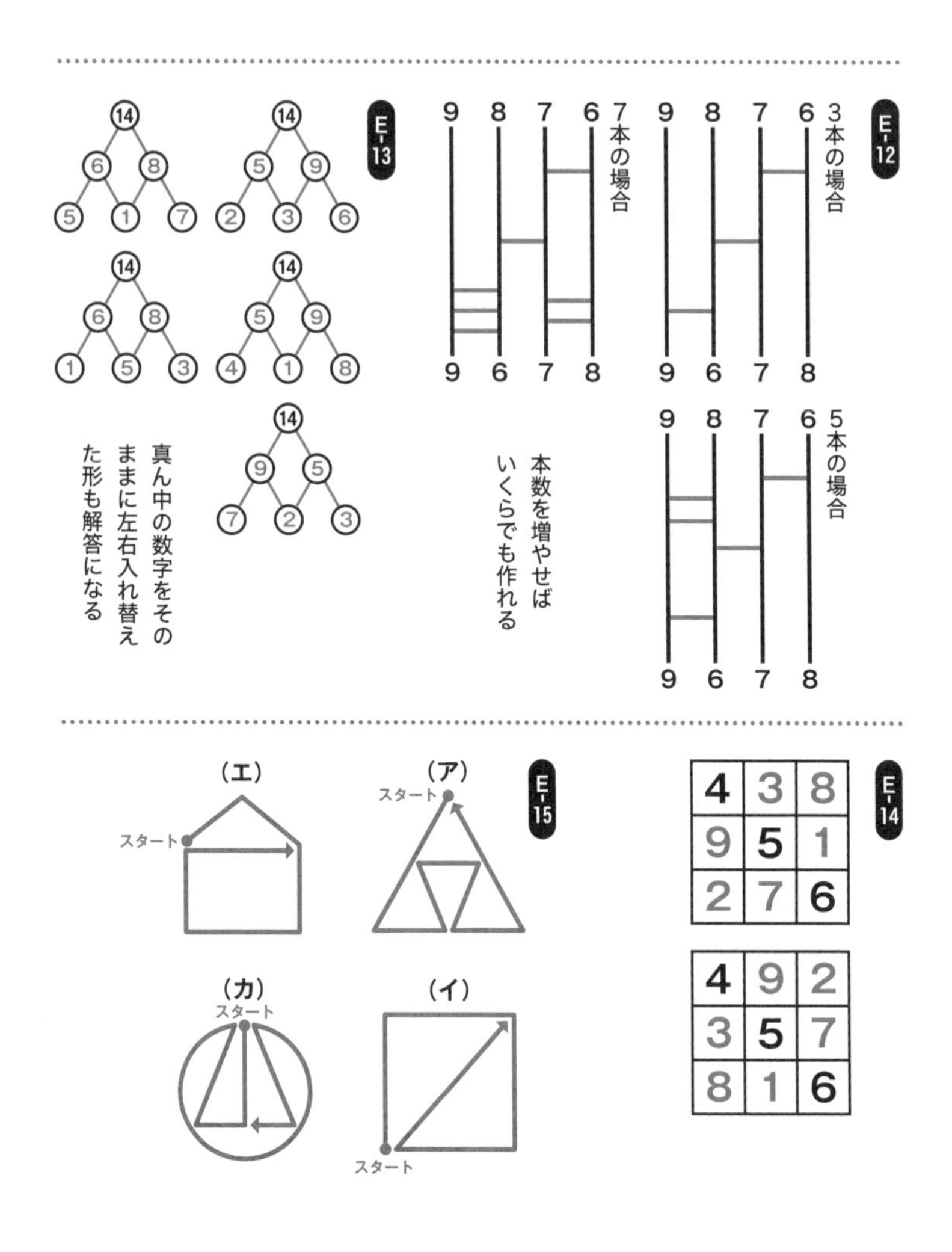
E-12
3本の場合
9 8 7 6
9 6 7 8
5本の場合
9 8 7 6
9 6 7 8
7本の場合
9 8 7 6
9 6 7 8
本数を増やせばいくらでも作れる
E-13
14
6 8
5 1 7
14
5 9
2 3 6
14
6 8
1 5 3
14
5 9
4 1 8
14
9 5
7 2 3
真ん中の数字をそのままに左右入れ替えた形も解答になる
E-14
4 3 8
9 5 1
2 7 6
4 9 2
3 5 7
8 1 6
E-15
(ア)
スタート
(エ)
スタート
(イ)
スタート
(カ)
スタート

第4章

勉強不全が好転する7つの魔法の質問

第3章の瞬読トレーニング、楽しんでいただけましたでしょうか？

勉強前に1分、これからも続けていけば、必ず成果となって表われます。

ただし、肝心の勉強に「手がつかない」「続けられない」という人には、本章での7つの魔法の質問が効果的に働くでしょう。

魔法の質問❶

「勉強のやり方にこだわりすぎていない？」

本書を読んでいるみなさんは、自分なりの勉強のやり方を持っていますか？

長く、熱心に勉強している人ほど、やり方にこだわりがあるように見受けられます。

そして、多くの人が、いちばんいい勉強のやり方とは、「時間をかける」ものだと思っています。

親が子どもに最適だと思ってやらせているのも、時間をかける勉強です。

一日中机に張り付き、コツコツと時間をかける。

塾の夏期講習で、毎日10時間ずつ40日間勉強する。

子どもは、とにかくずっと机に向かっているので、きっといろいろな知識が頭に入っているはず、と親は安心します。ところが、そのうち疑問に思うのです。

「これだけ時間をかけているのに、何でうちの子は成績が伸びないのだろう?」と。

本書を読んできたみなさんはもうおわかりですよね。

勉強は、時間をかければいいというものではない、ということを。

長い時間勉強しても、インプットだけでは意味がありません。

まず、**「勉強は時間をかけるもの」というこだわりを捨てる**ところから始めましょう。

そもそも、毎日10時間と言われたら、誰もが「無理」と思ってしまいます。

けれども、1科目30分だったら毎日できそうだと思いませんか?

1つの区切りを30分と決め、25分やって5分休憩するようにします。これならインターバルを置きながら4科目2時間くらいはできるはずです。インプットはこれでおしまいにして、あとは10分ずつアウトプット=復習をするだけです。

ダイエットなどもそうですが、なかなか結果が出ないと、モチベーションが続きにくく、「やっても無理」と思ってしまいがちです。マイナスの感情は左脳に蓄積され、「できない」という思い込みになってしまうので、ハードルは低く設定したほうがよいのです。

最初は、できたかどうか内容は気にせず、毎日やることを大事にしてください。習慣が身につく期間は諸説ありますが、だいたい3か月と言われています。今すぐ習慣化できなくても気にせず、3か月くらいかかるもの、と軽い気持ちでやってみましょう。

毎日できたら「楽しい！」とプラスの感情が生まれ、続けられます。

人間とは、本質的に気が散る生き物だと言われています。何かしていてもほかのことが気になり、周囲に目がいくからこそ自分の身を守って生き延びてこられたという説もあります。集中が途切れるのは本能だと考えれば、集中が続く短い時間で何回もやったほうがいいのは当然ですよね。本当に頭のいい人は、30分を1日何回転もこなしています。

勉強は、究極の集中状態である「ゾーン」に入ることができれば、驚くほど身につきます。瞬読のトレーニングには、そのゾーンに入りやすくなる効能もあります。——**瞬で見て一瞬で答えることを続けていると、いつの間にか集中できる**ようになります。テキストを使わなくても、日常生活の中でできるようになっていきます。

魔法の質問❷

「できないではなく、やっていないだけじゃない？」

「勉強ができない」「やる気が出ない」

勉強のやり方以前に、このような悩みもあると思います。

多くの保護者の方からも、「うちの子にやる気を出させてほしい」という相談をよく受けます。

でも、ここで勘違いしないでほしいのは、やる気、モチベーションは、本人でないと出せないということです。

どうしたらできるようになるかを考えるより、まず、**「できること」をやること**です。毎日5分、風邪で熱があっても、どんなことがあっても例外なしにやることを一つ決めて、とにかくやる。これを繰り返すのが第一歩です。

「できること」は、人から言われたこと、与えられたことでは続きません。これだったら毎日できそうだと、自分でイメージできることを探してください。朝起きたときや夜寝る前など、時間帯も具体的にイメージするとよいでしょう。勉強でなくても、単語を見るだけでも、英語の本を読むだけでもよいのです。この5分でやる気を引き出せるようになります。

最近は仕事もリモートワークが増え、自分一人ではなかなかやる気を出せないという人もいると聞きますが、そのような人にも、5分の習慣はおすすめです。

まず、5分を1週間続けてみてください。5分ならできそうと思っていたことが気づけば10分できるようになり、さらに1週間後には15分と、できる時間が増えていくはずです。結果として、前項の1科目30分もするするとこなせるようになります。

それを可能にするのも、右脳の持つイメージの力です。

脳は、イメージできないことは拒否してしまいます。逆に、プラスにイメージできることは喜んで実現しようとする意識が働きます。つまり、**プラスにイメージできることは成功するということ。**

だからこそ、できない目標は掲げずに、できることを設定してください。苦にならずに楽しくできることをやってください。毎日続けている自分を具体的にイメージできれば、もうできたも同然です。

この積み重ねで、もっと先の成功もイメージできるようになります。

もう、「できない」なんてありえません。どんなことも「できる」のです。

魔法の質問③

「どうしたらいいと思う?」を自分に聞いてみる

最近の子どもたちや若い世代の人を見ていると、「どうしたらいいの?」と、すぐ人に聞くことが多いように思います。

何かあったとき、壁にぶつかったとき、どうしていいかわからずに人に聞いて判断を任せてしまう傾向があるのでしょう。

これは本人たちのせいだけではなく、今の日本の教育にも原因があります。

小学校から高校まではもちろんのこと、大学生になっても先生からカリキュラムを与えられています。自分たちで考えて組み立てる機会が少ないのは、とても残念です。


私は、「どうしたらいいの？」と生徒に聞かれたら、逆に「どうしたらいいと思う？」と、問い返すようにしています。

戸惑って答えられない子には、「何のために勉強しているの？」と質問を変えます。たとえば「合格するため」などと答えが返ってくれば、「じゃあ何をしたらいいと思う？」「そのためにはどれだけ時間が必要？」と、どんどん聞いていくと、自分で答えを出すようになります。そこまでくれば、もう自分でも方向性が見えているので、具体的なアドバイスをしてあげられます。


受験に失敗してしまう子は、たいてい親や先生に言われたことだけをやっています。

中学受験までならなんとかなりますが、それでも入学してから苦労することになります。なぜなら、自分で決めた目標がないからです。「次はどうしたらいいんだろう?」と思考が停止してしまい、その先に進めません。

これは、資格試験や仕事でも同じことが言えます。「何のためにこれをやっているのか?」という目的意識がないうちは、成果を上げることはできないのです。

目的が明確になれば、そこに到達するためには何が必要か、逆に何が無駄かが見えてきます。

ダイエットがうまくいかなかったら、「どうして目標の体重にならないんだろう?」と考えてみるのと同じです。栄養学の知識が足りないとわかったら、勉強をして食事に気をつける、運動を増やして余分な間食や会食を減らすなど、自分にとっての過不足が掴めます。

勉強はすぐには結果が出ないものです。ゲームのように、やった途端に結果が出て、「楽しい!」と思えるものとは違います。だからこそ、1日5分のような小さな目標で結果を出していくのです。まだ大きな目標の結果は見えなくても、**「今これをやることで達成できる」というイメージを持てる人が最終的に勝つ**のです。

「どうしたらいいの?」と常に自分に問いかけ、目標に向かって突き進んでください。

魔法の質問❹

スマホ、ゲームは悪くない。「それ、生き時間になっている？」

スマホやゲームは、子どもを持つ親から諸悪の根源のように扱われています。

スマホを持たせない、ゲームをやらせない、パソコンにロックをかけているという親もいます。

ですが、今はあらゆる面でデジタル化が進み、大学受験の願書も半数以上がＷｅｂ上で提出する時代です。インターネットを扱えない人は試験を受けることすら難しいですし、授業もオンラインになっています。そう考えると、デジタル機器は適度に使えるほうが有利です。

しかも昨今のゲームは、以前よりも複雑になってきています。想像力、発想力、コミュニケーション能力を駆使しないとクリアできないようになっています。ある意味、右脳が鍛えられるツールと言っていいかもしれません。

したがって、一概にやめる必要はないと私は考えます。

では、スマホやゲームの何がいけないのでしょうか？

問題なのは、「時間」です。

時間に支配されてしまうのが、いけないのです。

特にゲームは、そもそも依存しやすい仕組みでつくられているので、やめられなくなってしまいがちです。人間の脳は楽なほうを選択するので、すぐに結果が出るゲームは、誰もが飛びつきやすいと言えるでしょう。

時間の支配から逃れるためには、まず、1日にどれくらいスマホを見ているのか、ゲームをしているのかを把握すべきです。第2章でもお話ししましたが、自分が何にどれくらい時間をかけているのか、可視化することが大切です。

私の塾の生徒の中には、ゲームや動画を楽しむ時間が何時間もある子が時々います。

「やっちゃダメとは言わないけれど、この時間が本当にあなたを満たす時間なの？惰性でやってない？」と聞くと、意外と「実はこんなにしたくない」という答えが返ってきます。「やめたいけど、オンラインゲームで仲間がいるから抜けにくい」という子もいます。

そこで、「じゃあ何時間に減らせる？」と聞いていき、減らした分の時間をどう使うか、効率よく勉強するにはどういう方法がいいかを一緒に考えていきます。

このように勉強のスケジュールを再設定して、月曜日から土曜日までの6日間でこなせたら、日曜日は何時間でもゲームをする日にしてもかまわないのです。

これも前項と同じで、自分で気づくことができれば、あとは自然に調整できます。


スマホもゲームもやめる必要はなく、自分にとっての「生き時間」になっていればよいのです。


生き時間とは、自分にとってプラスになっている時間です。惰性でやっていたり、親から怒られながらやっていたりしたら、それはマイナスな時間でしかありません。

天才、優秀と世間で言われる人ほど、実はゲーム好きな人が多いものです。その人たちは時間効率を考え、スケジューリングをして、忙しい中でゲームの時間を捻出しています。

これこそ、彼らにとっての生き時間と言えるのではないでしょうか。

スマホ、ゲームも上手に付き合えば、有用なアイテムになりうるのです。

魔法の質問⑤

丸覚えの満点に意味はない。「オリジナリティーはある？」

かつては、テストで満点を取ったら、「えらい！」とほめられましたが、それはもう昔の話です。

今はもう「えらくない」時代がやってきているのです。

現在、日本の大学入試は急激に変わろうとしています。

まず、2021年度大学入学者選抜から、センター試験がなくなりました。

各大学も、試験の点数で合格を決めるのは、全体の3〜4割くらいになってきています。その代わりに採用されるようになったのが、推薦入試です。高校時代の成績や小論文、面接などで合否を決めるAO入試、文章で自分をアピールする自己推薦入試など、これまでテストの点数ですべて決まっていた入試の基準が大きく変わってきています。

文部科学省が進める大学入試改革では、「①知識・技能の確実な習得」「②（①を基にした）思考力、判断力、表現力」「③主体性を持って多様な人々と協働して学ぶ態度」を学力の3要素にしています。

早稲田大学の一般入試の出願要件にも、「Web出願時に『主体性』『多様性』『協働性』に関する経験を記入する」と明記されています。

学部独自試験では、ある文章を読んで、それに同意または反対の意見、その理由などを文章で書く問題が出題されたりもしています。

このような流れを受けて、中学受験からすでに入試内容は変わってきています。絵や画像を見て思ったことを400字程度の文章で書く、といった問題がどんどん増えています。

もはや、テストの点数や偏差値の高さだけでは合格できないことがおわかりでしょう。

丸覚えで満点を取ることに、もう意味はないのです。

これまでのような一般的な試験だけだったら評価してもらえなかった部分を見てもらえるのは、ある意味、とてもいいことだと私は思います。

このような試験で問われるのは、その人がどういう経験をして、どういう考えをしているか、です。

つまり、その人ならではのオリジナリティーです。

勉強だけではなく、スポーツや美術・芸術活動など、人とは違う経験、経歴を持っていること。

それももちろんですが、「自分はどう思うか」を問われる問題や、小論文のようなある程度長い文章で意見を述べる問題では、これまでの経験と知識を駆使して自分なりの考えを瞬時に形にしなくてはなりません。右脳を使うことで養われる表現力や発想力が必要なのです。

これは何も入試に限った話ではありません。

TOEIC®も、たとえ満点を取ったとしても、使えなければ周りは評価してくれません。

仕事でも、急に会社の上司が外国人に変わることもありえます。

そうなったら共通言語が英語となり、仕事のやり方もこれまでとは違ってくるでしょう。仕事は待ったなしですから、その変化に対応できなければ、置いていかれてしまいます。

型にはまったことだけやっていればいい時代は終わったのです。

これからは、大人も子供も若者も勉強のやり方を変えるべきです。

ほかの誰とも違うオリジナリティーで勝負していきましょう。

魔法の質問⑥

自分に甘えてはいけない。「ちゃんと自分で考えている?」

これまでもお話ししてきた通り、これからは答えが「〇か×か」ではなく、「なんでそうなるのか?」を考える時代です。

答えが一つである数学でさえ、その答えだけではなく、「この公式を使う理由は何か」「どうしてこの答えが導き出されたのか」を問われます。それに答えられないと合格できないのです。

そのためには、**常に自分の頭で考えることが必要**です。

人間は、どうしても自分に甘くなってしまう生き物です。

つらいことより、楽なことのほうへと流れていきがちです。

「言われた通りにやっておけばいい」

「とりあえずみんなと同じでいい」

楽かもしれませんが、自分の頭で考えて行動しなければ、思考は止まったままです。

自ら想像も判断もしていません。

ぜひ、日々「なぜそうなるんだろう」と考えながら、物事を見ていってください。

右脳が働き続け、アイデアやひらめきがパッと生まれていきます。

私の学生時代のことですが、同級生にとても頭のいい子がいました。成績がいいだけでなく、想像力豊かでいろいろなアイデアを思いつくようなタイプでした。大学を卒業して大手銀行に就職したのですが、3年ほど経って再会したら、とても平凡な人になってしまっていました。おそらく、毎日言われたことだけをやるようになり、自分の頭で考えることをやめてしまったのでしょう。大変残念に思ったものです。

このように、思考力や想像力は使わないと乏しくなってしまいますが、逆に言えば、使いたいと思えば、何歳からでもいつからでも育むことができます。そこが右脳の優れた点でもあります。

つい自分を甘やかしてしまう、周りに流されてしまうという人は、**昨日とは違うことを一つでもいいからやってみてください。**

「昨日と同じでいい」では思考停止ですし、一生今のままです。少しでも進歩したいと思ったら、昨日と今日で、何かを変えることです。

よく人は「変わりたい」と言いますが、その割には変える努力をしていない場合がほとんどのように見えます。

トップアスリートなど、何かを成し遂げている人たちは、毎日その努力をして、昨日より成長したことが積み重ねになって、今の位置にいます。しかも、大変なことをしているように見えるのに、悲壮感はありません。むしろ楽しんでいます。だから続けていけるのです。そこには、自分のためだけでなく周りの人のためにもやる、というモチベーションも関係しているかもしれません。

勉強にもそのようなモチベーションがあると、あきらめずに続けていけるようになります。

自分を甘やかさず、昨日よりも成長した自分を目指してください。

魔法の質問⑦

「言われたことしかできないのはなぜ？」

日本では、いわゆる「いい子」「平均的な子」を育てる教育が長年続けられてきました。

ところが、学校でいい子と言われてきた人ほど、社会に出て芽が出ないことが多いのです。

いい子は、周りと仲良くすることができ、協調性はありますが、社会に出たら横並びです。言われたことはやるけれど、それ以上のことはできません。人の意見を聞くことはできても、自分の意見を言うことはできない人がほとんどです。

それを良しとするのが日本の教育の前提です。

みなさん、世の中で輝いている人、周りから憧れられている人、輝かしい才能を持っている人をイメージしてみてください。

おそらく、言われたことだけしかできないような人ではないはずです。

むしろ言われたこと以上のことができ、自分で考えて動ける人ではないでしょうか。

自分もそのような人になりたいと思いませんか？

もっと自分の力を発揮したいと思いませんか？

それなら、いい子は卒業してください。

想像力や発想力を働かせる右脳を鍛えていくこと。これに尽きます。

もちろん、学校教育にはいい部分もありますし、それを否定するつもりはないのですが、それだけでは、社会で、世界で活躍できる力を伸ばすのは難しいでしょう。

アメリカなど世界のほかの国では個性を育てる教育をしています。

授業も決まった内容ではなく、今起きている出来事や政治について、それぞれの意見を言い合うことを小さいときから当たり前にやってきています。

そのような人たちと対等に渡り合うためにも、**自分の頭で考え、意見を言えるようになるべき**です。

そうは言っても、今まで言われたことしかやってこなかったとしたら、いきなりそれを変えるのは難しいですよね。

でも安心してください。そこに気づいたときから、いつでも変われるのです。

学校をすでに卒業した社会人の方たちにとっては、より難しいと思われるかもしれませんが、おすすめの方法があります。

本を読むことです。

自分がこうなりたいと思う人、尊敬する人の本を選んでみてください。

本当は実際に会ったり話せたりするとよりダイレクトな影響を受けることができるのですが、現実にはなかなかそのような機会はないので、とにかく本の内容を大量にインストールするのです。

1日5冊ずつ1か月読み続けたら、かなりの量がインストールできます。もちろん、そこまでの量でなくても、1日1冊でもかまいません。読むときは、瞬読のメソッドを使って、イメージしながら速く読んでください。内容が右脳にしっかりと刻まれ、なりたい自分のイメージも見えてきます。イメージがはっきりとあれば、そこに近づくことができます。このように、**いつからでも思考は変えられる**のです。

右脳をフル活用して、輝かしい未来を手に入れてください。

おわりに

限られた時間の中で効率よく仕事や勉強をこなしたい！

このように感じ、本書を手にしていただいた方が多いのではないでしょうか。

30年間、変わることがなかった日本の大学入試システムが、今年（２０２１年）、ついに大きな変革のときを迎えます。一つの問いに対して一つの答えを覚える暗記中心の勉強で対応できた旧受験制度は終わりを告げ、答えが一つではない、暗記だけでは解けない出題が多く見られるようになりました。

背景にあるのは急速な文明の進化です。特に、インターネットにより情報が世界中を高速で飛び交い、さらには、ＩｏＴやＡＩ技術も格段に進化、浸透しました。その結果、ビジネスの世界においても、一つのビジネスが生まれてからそれが衰退するまでの時間がとてつもなく短くなっています。

30年前、世界で隆盛を誇った日本企業は、今では世界のＩＴ企業に太刀打ちできません。

世界の時価総額トップ10企業の中に、現在、日本企業はランクインしていないのです。30年前は7社もランクインしていたというのに……。

知識を多く暗記していれば優秀だと判断された時代から、多くの知識を組み合わせながら、自分の頭で考えて創造する能力が求められる時代になりました。それは、学生も社会人も企業も同じ。そんな時代の変革スピードに、さらにコロナ禍が拍車をかけています。

まったなし。まさにそんな時代です。勉強において左脳（暗記）重視で知識を詰め込むのではなく、これまであまり使えていなかった右脳（思考力、判断力、表現力）の力を利用して、迅速かつ大量に情報処理を進める時代へ。瞬読を使った勉強法は、それを可能にするのです。

たとえば私が直接指導した子どもたち。これまでどんなに勉強しても点数が取れなかった暗記教科が、試験当日の通学路で試験範囲の教科書をパラパラめくるだけでクラス1の高得点を取った生徒がいます。

現代文が苦手で、過去のセンター模試では5割も取れなかった生徒が、瞬読を取り入れた受験勉強で、センター試験本番で9割超の点数を獲得。学校の先生も、塾の先生も、親御さんも絶対無理だと言っていた超難関大学に現役合格しました。

社会人の生徒さんも、仕事をしながら難関と言われる資格試験に次々と合格しています。

これらの例は特別なことではなく、誰もが持っているのにこれまで使えていなかった能力を引き出してあげることで、同じ人間とは思えない進化を遂げるのです。

「瞬読に出会えてよかった！」

「瞬読で人生変わりました！」

数多くいただく喜びの声が私のいちばんの喜びです。

この本を通じて、一人でも多くの方にそれを実感していただきたい。私の願いです。

瞬読は、本当に短期間で見違えるほどの成果が出せる勉強法なのです。

最後に、私が瞬読を生み出すにあたり師匠として学ばせていただいた、株式会社サンリ西田文郎会長に御礼を申し上げます。

みなさんの能力が開花し、思い描く未来を手に入れる人が一人でも多く生まれますように。

瞬読は、単に本が速く読めるだけにとどまらず、夢をかなえる最強のツールなのです。

2021年3月

山中恵美子

［著者］
山中恵美子（やまなか・えみこ）
一般社団法人瞬読協会 代表理事
株式会社ワイイーエス 代表取締役社長
1971年生まれ、甲南大学法学部卒業。大学在学中に日本珠算連盟講師資格取得。卒業後、関西テレビ放送株式会社に勤務。2003年、そろばん塾を開校し、5教室でのべ2000人以上を指導。2009年、学習塾を開校。グループ30校舎で約2万人の生徒を送り出す。現在は、学習塾を経営する傍ら、子どもからビジネスパーソン、経営者、シニア層までに瞬読を伝え、分速38万字で読める人を出すなど、これまで1万人以上に指導している。また、「瞬読開始3か月後の模試で国語の偏差値が49から64に!」「1ランク上の高校に合格できた」「3年間、歯が立たなかった中小企業診断士の資格が1年でとれた」「英検1級、2回連続で不合格。瞬読を使って約半年で合格!」など、勉強で成果を出している人が続出。テレビ「教えてもらう前と後」（MBS/TBS系）や「おはよう朝日です」（ABC）、雑誌「女性自身」など、多数のメディアに登場。著書に、『1冊3分で読めて、99%忘れない読書術 瞬読』『1日5分見るだけで、1週間で勝手に速く読める! 瞬読ドリル』（SBクリエイティブ）がある。

たった1分見るだけで頭がよくなる
瞬読式勉強法

2021年3月9日　第1刷発行
2024年3月15日　第5刷発行

著　者――――山中恵美子
発行所――――ダイヤモンド社
〒150-8409　東京都渋谷区神宮前6-12-17
https://www.diamond.co.jp/
電話／03･5778･7233（編集）　03･5778･7240（販売）

装丁――――――井上新八
本文デザイン――大谷昌稔
編集協力――――狩野南
企画協力――――竹内英人、若杉詩乃
書籍コーディネート―小山睦男（インプルーブ）
製作進行――――ダイヤモンド・グラフィック社
印刷――――――勇進印刷（本文）、新藤慶昌堂（カバー）
製本――――――ブックアート
編集担当――――武井康一郎

ISBN 978-4-478-11284-7